L'Aventure selon Mo

Sheila Turnage

L'Aventure selon Mo

Traduit de l'anglais (États-Unis)
par Cécile Nelson

SEUiL

Illustration de couverture : Renaud Perrin

Édition originale publiée en 2012
sous le titre *Three Times Lucky*
par Dials Books for Young Readers,
une marque de Penguin Group, New York.
© 2012 Sheila Turnage
Tous droits réservés.

Pour la traduction française :
© 2014 Éditions du Seuil
ISBN : 979-10-235-0113-1

Conforme à la loi n° 49-956 du 16 juillet 1949
sur les publications destinées à la jeunesse.

www.seuil.com

*À mes parents, Vivian Taylor Turnage
et A. C. Turnage, Jr,
qui m'ont appris à aimer les livres.*

1 – Les ennuis arrivent à Port-Tupelo

Les ennuis ont déboulé à Port-Tupelo à midi sept minutes tapantes, le mercredi 3 juin, au volant d'une Chevrolet Impala terreuse de la police. La poussière était à peine retombée sous ses roues qu'on découvrait le cadavre de Mr Jesse et que Port-Tupelo se trouvait sens dessus dessous. À ma connaissance, personne ne s'y attendait.

Et moi – Miss Moïse LoBeau, presque collégienne –, les ennuis, c'était bien la *dernière* chose que j'avais en tête en traversant la véranda de Dale en catimini à six heures du matin.

– Hé !, Dale, j'ai chuchoté en plongeant ma figure dans la moustiquaire défoncée de sa fenêtre, lève-toi !

Il s'est retourné en agrippant son drap. «Va-t'en», il a marmonné. Sa chienne bâtarde, Reine Elizabeth II, a remué sous l'hortensia au bout du porche.

Dale dort la fenêtre ouverte pendant l'été parce qu'il aime entendre les rainettes et les grillons, mais surtout parce que son père est trop fauché pour installer la climatisation dans la maison.

J'ai crié :

– Dale, réveille-toi ! C'est Mo.

Il s'est redressé d'un coup, ses yeux bleus écarquillés et ses cheveux blonds hérissés dans tous les sens.

– Un démon ! il a fait d'une voix étranglée, un doigt vaguement pointé vers moi.

J'ai soupiré. La famille de Dale est baptiste[1].

– C'est pas un démon, c'est moi. Je suis passée te dire que le Colonel est rentré et qu'il est pas en état de cuisiner.

Il a battu des paupières comme une chouette ahurie.

– Tu m'as réveillé pour ça ?

– Désolée, Dale. Il faut que j'ouvre le café aujourd'hui.

– Oh ! il a lâché, le mot chargé de déception tombant comme une pierre. Mais ça fait des lustres qu'on a prévu cette partie de pêche, Mo. Eh Miss Lana ? Elle peut pas faire quelques *craps* vite fait ?

– *Crêpes*, j'ai corrigé. C'est français. Eh non, elle peut pas. Miss Lana a claqué la porte dès que le Colonel est rentré. Elle est partie.

---

1. Très répandu dans le sud des États-Unis, le baptisme implique une grande piété fondée sur la lecture et le respect absolu des Écritures, dont Dale est visiblement imprégné. (N.d.T.)

Il a juré, d'une voix douce comme une brise à travers les roseaux. Dale s'est mis à jurer l'année dernière. Moi, j'ai pas encore commencé mais au train où vont les choses, je pourrais m'y mettre d'un moment à l'autre.

— Je suis désolée, Dale. On ira pêcher un autre jour. Je peux pas laisser tomber le Colonel et Miss Lana.

Le Colonel et Miss Lana sont pour moi ce qui se rapproche le plus d'une famille. Sans eux, je n'aurais sans doute pas de maison. Ni même de nom, d'ailleurs. J'ai été privée de proches par le Destin, comme le dit Miss Lana. Projetée dans ma vie plutôt bizarre par des Forces Inconnues.

La porte de la chambre de Dale s'est entrouverte et sa mère a passé la tête à l'intérieur, ses yeux verts tout vagues de sommeil.

— Dale ? elle a chuchoté en serrant une robe de chambre d'un rose délavé contre sa gorge. Tu vas bien ? Tu as encore des cauchemars, c'est ça, mon chéri ?

— Pire que ça, m'man, il a répondu d'un ton grave. Mo est là.

Miss Rose avait été une vraie beauté à une époque, avant que le père de Dale s'empare d'elle. C'est ce que disent les gens : cheveux noir charbon, menton canaille et un balancement qui faisait se redresser les hommes.

— B'jour, Miss Rose, j'ai dit en pressant mon meilleur sourire contre la moustiquaire.

– Seigneur de miséricorde ! elle s'est exclamée en reculant de surprise. Quelle heure est-il, Mo ?

– Six heures et un poil, j'ai répondu avec un sourire. J'espère vraiment que vous avez passé une bonne nuit.

– Bonne, oui, quoique spectaculairement raccourcie.

Comme Dale, Miss Rose se réveille rarement du bon pied. Sa voix a pris un ton mielleux et inquiétant.

– Et toi, peux-tu m'expliquer ta présence sous ma véranda alors que le soleil n'a pas encore frotté le sommeil de ses yeux ?

J'ai pris une grande inspiration.

– Le Colonel est rentré mais Miss Lana est partie, alors je dois ouvrir le café, ce qui veut dire que Dale et moi on ne peut pas aller à la pêche et je trouve que ce serait mal élevé de ne pas l'avertir. J'essaye juste de faire comme il faut.

Un minuscule froncement de sourcils a plissé son front.

Heureusement, Miss Rose est une personne bien élevée et, comme le dit Miss Lana, les bonnes manières, ça se voit. Finalement, elle a dit :

– Eh bien, puisque nous sommes tous réveillés, entre, je t'en prie.

– Elle peut pas, a fait Dale, en jetant ses jambes par-dessus le bord du lit. Moi et Mo, on doit ouvrir le café.

– Mo et moi, a murmuré Miss Rose alors que Dale se levait tout habillé et glissait ses pieds dans des sandales nettement trop grandes. Qu'est-il arrivé à ton pyjama ? Et pourquoi portes-tu les vieilles chaussures de ton frère ?

– Dormir avec mes habits me fait gagner du temps et je grandis des pieds, a répondu Dale en enfonçant son t-shirt noir dans son short et passant ses doigts dans ses cheveux.

Les hommes de la famille de Dale sont fiers de leur chevelure, et c'est justifié.

– Il grandit les pieds en premier, j'ai ajouté. Le reste rattrapera plus tard.

Dale est le deuxième plus petit de la classe, avant Sally Amanda Jones. Et il est susceptible.

– Faut y aller ! j'ai lancé.

J'ai enfourché mon vélo, traversé la cour et Dale m'a rattrapée à l'entrée du bourg. On a filé le long du nouveau panneau du maire – « Bienvenue à Port-Tupelo, NC, Population : 148 » – et stoppé en dérapage dans le parking du café, soulevant un panache de sable et de bouts de coquilles d'huîtres.

– Mince alors ! s'est exclamé Dale en laissant tomber son vélo. On dirait que le Colonel a une nouvelle bagnole.

– Une Underbird 58. Peinture d'origine.

– Tu veux dire une Thunderbird, il a corrigé en tournant autour de la voiture.

La famille de Dale s'y connaît en voitures. D'ailleurs, son grand frère Lavender, avec qui je me marierai un jour, fait des courses sur le circuit Carolina Raceway. Après avoir tapé du pied dans un pneu et plissé les yeux pour distinguer les lettres argentées plaquées tout le long de l'aile, Dale a claironné :

— C'est bien une Thunderbird. Mais le T et le H sont tombés.

— Donc, maintenant, c'est une Underbird, j'ai insisté en agitant ma clé devant la porte du café.

— Je vois pas pourquoi tu fais ça, il a dit en me regardant. Tous les gens d'ici savent que cette porte ne ferme pas à clé.

— Je le fais au cas où il y aurait des inconnus. On ne se méfie jamais assez des inconnus. C'est ce que dit le Colonel.

Dale a attrapé mon bras.

— Attends. N'ouvre pas aujourd'hui, Mo. S'il te plaît ? Allons à la pêche. J'allais te faire une surprise… Je nous ai trouvé un bateau.

Je suis restée clouée devant la porte entrebâillée.

— Un bateau ? Où tu nous as trouvé un bateau ?

— Chez Mr Jesse, a dit Dale en basculant en arrière sur ses talons.

J'ai essayé de ne pas laisser entendre que j'étais impressionnée.

— Tu as volé le bateau de Mr Jesse ?

Il fixait ses ongles.

– Je ne dirais pas *volé*. Disons que je l'ai emprunté assez fort.

J'ai soupiré.

– J'peux pas, Dale, pas aujourd'hui.

– Alors demain, il a lancé avec un grand sourire en retournant d'un geste le panneau « Fermé » du côté « Ouvert ».

Dale est mon meilleur ami. À présent, vous voyez pourquoi.

On a eu à peine le temps de faire rugir la clim et d'allumer les ventilateurs de plafond que notre premier client a débarqué. Je n'irai pas jusqu'à dire que nos clients sont moches mais, à six heures trente du matin, ils ne sont pas jojo. J'ai grimpé sur une caisse de Pepsi derrière le comptoir alors que Mr Jesse entrait tranquillement – petit format à bedaine avec chemise à carreaux défraîchie, pantalon militaire et moustache en bataille.

– B'jour, Mr Jesse, j'ai lancé. Qu'est-ce que ce sera ?

– Hé, Mo, il a fait en attrapant le menu. Tu devrais pas être à l'école ?

– L'école a fini la semaine dernière, Mr Jesse.

– Ah ? Et en quelle classe tu vas pass… ?

– En sixième.

– Sixième ? Bonté divine, petite, il s'est exclamé en me regardant pour la première fois. C'est **vrai** que tu as grandi.

J'ai soupiré.

— Je suis montée sur une caisse de Pepsi. J'ai pas tant grandi que ça depuis hier. Vous voulez commander ? J'ai d'autres clients à me soucier.

Il a promené son regard à travers le café tandis que le tic-tac solitaire de la pendule 7 Up résonnait depuis le mur du fond.

— D'autres clients ? Où ça ?

— Ils sont en route.

— Ah, alors voyons voir... Je ne sais pas ce qui me tente. Cette nuit, une crapule m'a piqué mon bateau et a emporté mon appétit avec.

Dale a laissé tomber un verre.

— Et ce rapace a de sacrés panards, d'après les empreintes, a ajouté Mr Jesse. À vue de nez, il fait au moins un mètre quatre-vingt-dix et bien cent kilos.

Dale a expédié ses sandales d'un coup de pied sous le comptoir. Mr Jesse a passé la langue sur ses fines lèvres.

— Miss Lana a déjà sorti ses muffins du four ?

J'ai fait ma voix douce, comme Miss Lana quand j'ai la fièvre :

— On propose pas de muffins aujourd'hui, Mr Jesse.

— Oh ! il a fait, et puis : Oh–oh !

Il a humé l'air comme un chien de chasse et un froncement de sourcils a barré sa figure mal rasée.

— Ça sent pas comme il faut, ici, il a déclaré. Pas de café, pas de bacon, pas de muffins...

– Miss Lana prend un peu de repos. Mais ça vaut sans doute mieux : ses muffins font terriblement grossir et vous feriez bien de perdre cette bedaine, Mr Jesse. Vous savez que vous en êtes capable.

Il a braqué les yeux sur la double porte grise de la cuisine. Son ton est devenu autoritaire.

– Le Colonel est là-bas derrière ?

Je ne pouvais pas lui reprocher d'être énervé.

– Vous voulez que j'aille voir ? j'ai proposé en descendant de ma caisse.

Je ne dirai pas que je suis petite mais, sans caisse, je ne suis pas grande.

– Déranger le Colonel ? il a protesté en reposant le menu. Grands dieux, non ! Je voulais juste savoir quand il serait de retour. Qu'est-ce que tu suggères, ce matin, Mo ?

Je me suis mise bien droite, comme Miss Lana me l'a appris, et j'ai drapé mon bras d'une serviette en papier.

– Aujourd'hui, nous proposons un choix complet de plats au beurre de cacahuète. Nous avons beurre de cacahuète-gelée, beurre de cacahuète-raisins secs et une subtile association beurre de cacahuète-beurre de cacahuète. Ceux-ci sont disponibles en croustillants ou moelleux, sur pain de mie Merveille pressé à la main dans l'assiette ou pas, selon votre préférence. Le plat du jour est notre célèbre sandwich beurre de cacahuète-banane. Il est présenté sur pain Merveille, coupé en diagonale dans

l'assiette, avec croûte ou sans. Que voudrez-vous
pour commencer ?

– Le plat du jour.

– Excellent choix. Pressé à la main ou aéré ?

– Aéré. Pas de croûte. Et...

Il a tourné vers la cafetière un regard pâle rempli
d'espoir.

– Du café ?

J'ai secoué la tête.

– Notre boisson du jour est le Mountain Dew[1]. J'en
ai une bouteille de deux litres en train de décanter.

Ses épaules se sont affaissées.

– Bonjour ! a claironné M. le maire Little en
laissant la porte claquer derrière lui.

Il a lissé sa cravate bleu banquise sur son ventre
rebondi et décoché un sourire d'une blancheur
pas naturelle.

– Chut ! a aboyé Mr Jesse. Miss Lana est partie
et le Colonel pourrait être dans la cuisine !

Le maire Little s'est approché du comptoir sur
la pointe des pieds, les talons de ses mocassins cirés
cliquetant sur le sol carrelé.

– Miss Lana partie ? il a chuchoté. Le Colonel
de retour ? Un triste événement, mais rien que
la ville ne puisse gérer. Bonjour, Mo, donne-moi

---

1. Soda au citron et à la caféine originaire du Tennessee. La
marque a été reprise par Pepsi, maintenant déclinée en multiples parfums et vendue comme boisson énergisante. (N.d.T.)

un plat et une boisson du jour. Sans glace. Mes gencives me font des misères.

– C'est parti, j'ai lancé en tournant les talons.

Nous choisissons toujours un Little comme maire, au cas où une équipe de télévision viendrait en ville. Les Little aiment parler et ils sont très soignés. Même leurs bébés s'habillent bien.

Tandis que le maire sirotait son Mountain Dew, la clientèle du petit déjeuner a commencé à remplir la salle.

Grand-mère Miss Lacy Thornton a garé sa Buick à côté de l'Underbird et s'est installée calmement à une table à côté de la fenêtre. Grand-mère Miss Lacy Thornton porte toujours un ensemble et des chaussures bleu marine. Leur couleur fait ressortir ses cheveux blanc bleuté, qu'elle remonte autour de son visage en forme de cœur. Elle est juste un peu plus grande que moi mais, bizarrement, elle domine tout le monde dans la salle.

Ensuite, Tinks Williams s'est précipité pour engloutir un sandwich, laissant son tracteur John Deere ronronner dans un coin d'ombre. Puis est entré Sam Quinerly, le partenaire de course et mécanicien de Lavender, qui parle lentement. Il avait déjà de la graisse sur les mains. Avant que Dale ait eu le temps de faire son sandwich, le révérend Thompson et son fils, Thessalonians, sont arrivés.

– Salut, Thes, j'ai lancé en lui faisant glisser un verre d'eau. Comment se passent tes cours d'été ?

Il m'a fait un grand sourire sous ses cheveux poil de carotte luisants.

— Chais pas, j'y vais pas.

Comme moi, Thes n'est pas très studieux. Contrairement à moi, il est abonné aux D dans toutes les matières. Moi, je préfère ne pas clamer mes A sur les toits pour mieux déployer ma puissance mentale par surprise, quand les gens s'y attendent le moins. Pour ça, je tiens de Miss Lana.

— Comment tu t'es tiré de là ? j'ai demandé.

— Examens de rattrapage et prière, a bougonné le révérend Thompson.

Thes a annoncé, rayonnant :

— Eh, Mo, on a trois ouragans potentiels au large de l'Afrique ce matin. M'est avis qu'on a trente pour cent de chances que l'un d'eux arrive jusqu'à nous.

Il est dingue de météo. Il rêve d'être Monsieur météo à la télé et se tient au courant pour s'entraîner. Autant que je sache, rien ne l'arrêtera.

— Deux plats du jour, s'il te plaît, Mo, a commandé le révérend Thompson.

— C'est comme si c'était fait.

À sept heures trente, la moitié de notre patelin était tassée dans le café quand la future cinquième Skeeter[1] McMillan (une grande maigre aux taches

1. « Moustique » en parler familier du sud des États-Unis. (N.d.T.)

20

de rousseur couleur de mortadelle fraîche), a pris la dernière place au comptoir.

– B'jour, Mo, elle a lancé en plaquant son bouquin de droit ouvert devant elle. Je vais prendre ce soi-disant plat du jour.

Skeeter, qui espère devenir avocate, adore dire « soi-disant » et « prétendument ». Il paraît qu'elle aurait déjà écrit à l'Université pour suivre un cours sous un nom d'emprunt. Elle refuse de dire si c'est vrai ou faux, et répète juste qu'une rumeur infondée ne tient pas devant un tribunal.

– Eh, Skeeter, le Colonel est de retour, lui a lancé Dale au passage.

Elle a ramassé son bouquin et l'a remis dans son sac.

– Fais-le-moi à emporter, elle a rajouté.

Le Colonel déteste les avocats. On laisse Skeeter entrer parce qu'elle en est juste aux études, mais elle doit rester discrète.

À huit heures trente, Dale et moi on filait dans tous les sens, comme si nos fonds de culotte étaient en feu. J'ai le droit de servir des repas puisque le café est une entreprise familiale, mais pas d'utiliser la cuisinière. D'après le Colonel, ça pourrait être dangereux pour quelqu'un de ma taille et de mon tempérament.

J'ai profité du creux d'avant le déjeuner pour ouvrir des bocaux de « Soupe du potager quasiment bio » de Miss Lana qui, heureusement, se sert très bien froide.

— Miss Lana a intérêt à rentrer bientôt, j'ai dit en tordant la rondelle en caoutchouc d'un bocal d'un litre. C'est la fin de sa soupe et je suis pas jardinière.

— Ça, tu peux le dire, a marmonné Dale.

Lui tient sa main verte de Miss Rose ; moi, je suis pratiquement herbicide. J'ai tué toutes les plantes que j'ai croisées, à commencer par mes pousses de haricot de Lima en maternelle.

Alors que la salle se remplissait à nouveau pour déjeuner, j'ai branché le juke-box. La clientèle du déjeuner est celle du petit déjeuner rasée et peignée, plus les six dames aux azalées qui s'appellent le Club du Jardin d'en haut. En les ajoutant aux habitués, on était en plein coup de feu quand un inconnu a garé son Impala couleur poussière devant le café et poussé la porte.

— Bien le bonjour ! il a lancé, et le café s'est pétrifié, immobile comme l'eau d'un puits.

J'ai jeté un coup d'œil à la pendule. Il était exactement midi sept minutes.

2 – Le Colonel

L'inconnu a promené sur la salle ses yeux couleur de pâle ciel d'hiver.

– Donne-moi un burger complet et un thé sucré, il a dit en s'approchant du comptoir.

Déjà, je ne l'aimais pas.

Je n'aimais ni sa chemise amidonnée ni le pli de son pantalon. Ni l'arc de son nez ni le saillant de ses pommettes. Ni la maigreur de ses hanches ni le brillant de ses chaussures. Et surtout, je n'aimais pas sa façon de ne pas sourire.

Je suis remontée sur ma caisse de Pepsi.

– Désolée, on n'en a plus. Voulez-vous le plat du jour à la place ?

– Qu'est-ce que c'est ?

J'ai recourbé mon pouce en direction de l'ardoise.

Délice du carnivore :
La soupe pratiquement bio de Miss Lana servie froide, sandwich mortadelle-concombre, Mountain Dew / 2,75 dollars
Plat du jour végétarien :
Soupe de Miss Lana, sandwich beurre de cacahuète-concombre, Mountain Dew /2,50 dollars.
Il a froncé les sourcils.
– C'est tout ce que vous avez ?
– Ça nous suffit, a grommelé Tinks Williams depuis le tabouret d'à côté.
L'inconnu a plissé les yeux.
– Alors mets-moi un Délice du carnivore.
Tinks m'a tendu trois dollars.
– Garde la monnaie, il a dit dans sa barbe en vissant sa casquette John Deere sur sa tête. Ici, on lésine pas sur les pourboires, il a lancé à l'inconnu.
C'était un pur mensonge mais gentil de sa part.
– Merci, Mr Tinks.
Je n'avais pas fini de ramasser les miettes dont il avait jonché le sol que le maire Little prenait sa place habituelle au comptoir. Il s'est présenté :
– Clayburn Little, maire. Bienvenue à Port-Tupelo.
La tension de la salle a baissé d'un cran. Les Little savent y faire avec les étrangers.
– Starr, a fait l'inconnu en ouvrant d'un coup l'étui d'un badge doré. Inspecteur Joe Starr.
La bouche de M. le maire s'est arrondie en un O parfait.

– Un inspecteur ! En voilà une bonne surprise !
On n'en voit pas beaucoup, par ici.

– On a piqué mon bateau, cette nuit, a lancé
Mr Jesse du bout du comptoir. C'est pour ça que
vous venez ?

– Il va réapparaître, a crié Dale d'une voix rauque
et affolée.

Le maire a esquissé un sourire.

– Ton bateau est une question d'intérêt local,
Jesse. Je vais m'en charger.

Puis, à l'adresse de Starr :

– D'où êtes-vous, monsieur l'inspecteur, si je
puis me permettre ?

– De Winston-Salem.

– Eh bien dites donc, ce n'est pas la porte à côté.
De passage, j'imagine. En route pour… quelque
scène de crime ?

– Quelque chose comme ça, a répondu Starr et,
en me fixant : Comment t'appelles-tu ?

J'ai dégluti avec difficulté. J'ai toujours eu du
mal avec l'autorité.

– Mo, j'ai répondu, le rouge me montant au cou.

Parfois, je pourrais tuer le Colonel pour m'avoir
donné un nom comme ça.

– Pas courant…

– C'est biblique, j'ai dit. Ne le prenez pas mal,
mais la dernière personne qui s'en est moquée a
été avalée par la mer Rouge !

Une des dames aux azalées a ricané.

Dale a fait glisser l'assiette en carton de Starr à travers le comptoir.

– Voilà : un Délice du carnivore. Je vous ai rajouté une languette de concombre, cadeau de la maison.

– Merci, mon garçon.

Le regard de Starr a migré du billet d'un dollar au-dessus de la porte de la cuisine à l'écriteau surplombant la cafetière, où le Colonel avait inscrit : INTERDIT AUX AVOCATS. Starr a pris son sandwich dans son assiette tout en dévisageant Dale :

– Et toi, tu t'appelles comment ?

Dale a blêmi.

– Moi ? Phillip, monsieur.

Stupéfaction dans le café. Je lui ai filé un coup de pied dans le tibia.

– Je veux dire, Dale, il a corrigé, les larmes lui montant aux yeux.

Toute sa famille est comme ça. Il suffit que la Loi s'approche à moins de vingt mètres et tous ses membres masculins de plus de six ans – oncles, frère, père, cousins – se mettent à mentir comme des arracheurs de dents. Dale dit que c'est génétique ; Miss Lana dit que c'est des sornettes.

– Alors, a repris le maire Little, à quoi devons-nous donc l'honneur de votre visite, inspecteur Starr ?

– Je ne fais que passer, comme vous dites. Sur le chemin de Wilmington... Et là, c'est qui ? a demandé Starr avec un coup d'œil vers une photo noir et blanc au mur.

– Miss Lana, j'ai répondu en encaissant et faisant tinter le supplément de Tink dans mon pot à pourboire. Elle ne ressemble pas toujours à ça. Là, elle est habillée en Mae West.

Le maire Little s'est accoudé au comptoir avec un large sourire à l'intention de Starr.

– Une Nuit hollywoodienne, ici même, au café. Vous imaginez ? Nous sommes une petite communauté très créative.

– Je vois ça, a fait Starr en parcourant la salle des yeux. Miss Lana est la propriétaire ?

– Mon Dieu non, a répondu le maire. C'est le Colonel. Il ne travaille pas aujourd'hui. Un peu patraque, je suppose.

L'assistance s'est tournée vers Starr, qui s'est approché de la photo. Lorsqu'il est passé à côté des dames aux azalées, elles se sont penchées en arrière, comme des lapins s'écartant d'un chat sauvage.

– Elle me paraît familière, il a dit en plissant les yeux devant la photo.

– C'est justement l'idée, inspecteur, a dit le maire d'une voix contrariée. Pour notre Nuit hollywoodienne, ici au café, nous nous sommes tous déguisés. Toute la ville. Miss Lana est venue en Mae West, j'ai choisi Charlie Chaplin. Pour une fois, j'étais muet... Une bonne blague pour qui me connaît. Et on a fait une soirée spectacle avec des numéros, des imitations.

Dale semblait avoir retrouvé son sang-froid. En tout cas, c'est ce que je croyais jusqu'à ce qu'il ouvre la bouche.

– Les nénés sont en toc, il a braillé.

Le maire a froncé les sourcils.

– Dale !

– Je veux dire dans la photo de Miss Lana, a bredouillé Dale. Ces nénés sont pas vrais. Et les cheveux non plus.

– Dale, va vérifier notre stock de Mountain Dew, j'ai ordonné en lui donnant une bourrade.

La porte s'est refermée derrière lui en un battement silencieux.

– Donc, monsieur, sur quoi enquêtez-vous ? a insisté le maire alors que Starr se réinstallait sur son tabouret. Une affaire passionnante ?

– Un meurtre, a lâché l'inconnu, faisant frémir les dames aux azalées.

– Où cela ?

– À Winston-Salem, il y a une quinzaine de jours.

Starr a saisi sa cuillère et s'est penché sur son bol.

– Bonne soupe, il a marmonné.

Le maire Little a lissé sa cravate.

– Et qui est le... euh... cher disparu ?

– Un gars du nom de Dolph Andrews. Ça vous dit quelque chose ?

Starr a sorti une photo de sa poche de chemise et l'a fait glisser le long du comptoir. Le maire et moi nous sommes penchés pour l'examiner. Même à l'envers, Dolph Andrews était bel homme.

– Il a quelque chose de George Clooney, a dit le maire. Non, ce monsieur n'est jamais passé ici. Je m'en souviendrais.

Il a fait glisser la photo en sens inverse.

– Qui l'a tué ?

– Sais pas.

Starr a poussé la photo vers moi.

– Allez-y, faites-la circuler. Que tout le monde y jette un œil.

La photo est passée de main en main à travers le café.

– Quelqu'un lui a tranché la gorge ? j'ai hasardé.

– Non, on l'a abattu. On a coupé sa ligne téléphonique, pénétré chez lui et appuyé sur la détente.

Au bout du comptoir, Mr Jesse a étudié longuement la photo. Sa main tremblait lorsqu'il l'a passée au voisin.

– Qui voudrait tuer un beau garçon comme ça ? a soupiré le maire alors que Starr terminait son sandwich et repoussait son assiette.

Starr a haussé les épaules.

– Quelqu'un qui pensait qu'il méritait d'être tué, je suppose. Si ça se trouve, il avait raison, pour ce que j'en sais. Combien je te dois, Mo la Biblique ?

– Deux dollars soixante-quinze, plus la taxe.

Joe m'a tendu un billet de cinq.

– Garde la monnaie. Et ce gamin dérangé dans la cuisine…

– Vous voulez dire Phillip ?

– Je veux dire Dale, a corrigé Starr en glissant la photo dans sa poche de chemise. Dis-lui que la prochaine fois que je viens ici, je compte le voir avec des chaussures aux pieds.

Il s'est arrêté devant la porte pour regarder le parking.

– Belle Thunderbird. Elle est à qui ?

J'ai hésité. Le Colonel dit toujours qu'il ne faut pas mentir ; mais, parfois, la vérité ne tombe pas bien comme il faut.

– Ben…

Heureusement, à cet instant, les portes de la cuisine se sont ouvertes d'un coup, claquant contre le mur, et tout le café a sursauté.

– C'est ma voiture, espèce de fouineur, a grondé le Colonel depuis le seuil. Qu'est-ce que ça peut te faire ?

– Colonel ! j'ai crié.

Il a ouvert tout grands les bras et m'a soulevée dans les airs.

Miss Lana dit qu'étreindre le Colonel, c'est comme serrer une charrue métallique dans ses bras mais moi, j'adore l'acier de ses muscles et ses os saillants.

– Je croyais que tu étais encore au lit à te reposer.

Le Colonel a resserré la ceinture de la robe de chambre verte à carreaux que je lui ai offerte pour Noël l'année de mes six ans.

– Dale m'a prévenu qu'on avait de la visite, il a dit en fixant l'inspecteur.

– C'est Joe Starr, j'ai chuchoté. Un représentant de la loi.

Toutes les têtes se sont tournées vers Starr resté de marbre, comme on fait quand un chien méchant s'approche.

– On dirait qu'il amène les ennuis, j'ai continué à voix basse. Mais je gère la situation. En dehors de ça, tout va bien. Enfin, il y a eu un meurtre et on est à court de soupe.

Mr Jesse, au bout du comptoir, s'est raclé la gorge.

– Ah oui, et le bateau de Mr Jesse a disparu.

Le Colonel m'a tapoté l'épaule.

– Bien joué, soldat. Tu peux faire une pause.

– Merci, chef.

Un silence embarrassé est tombé sur la salle.

– Seigneur, où sont passées mes bonnes manières ? s'est exclamé le maire Little. Inspecteur Starr, voici le Colonel LoBeau, propriétaire du Café Tupelo. Colonel ? Inspecteur Joe Starr, de Winston-Salem, qui enquête sur un meurtre.

– Bonjour, a lancé le Colonel.

Le regard de Starr a glissé de la coupe en brosse du Colonel à ses yeux châtains et à sa barbe naissante, puis est descendu le long de la robe de chambre élimée jusqu'à ses pantoufles marron.

– Colonel, il a prononcé.

Au ton de sa voix, je savais que s'il avait eu une casquette, il l'aurait ôtée pour le saluer.

Le Colonel a esquissé un sourire forcé. Tout le monde sait qu'il a encore plus de mal que moi avec les figures de l'autorité. Il paraît que c'est parce qu'on l'a forcé à faire la guerre au Vietnam. Ou en Bosnie. Ou au Moyen-Orient. Miss Lana, elle, dit que c'est parce que c'est un sacré crâneur qui ne supporte pas qu'un autre soit aux commandes.

– Colonel LoBeau, a répété Starr.

Puis, tournant les yeux vers moi :

– Alors cela fait de toi…

– Mo LoBeau, avec l'accent sur la dernière syllabe. Avant c'était Mo *Lo*bo avec l'accent sur la première mais Miss Lana l'a changé quand je suis entrée en primaire. Elle dit que ça me rend pratiquement française.

– En plus « Lobo » veut dire « loup », a renchéri Dale. Qui veut traîner un nom comme Mo Loup en primaire ? C'est comme aller aux chutes du Niagara avec un bloc de béton attaché à la cheville.

Starr a fait mine de ne pas l'entendre.

– Colonel, vous me semblez familier. Nous nous sommes déjà rencontrés ?

– Peu probable.

– Jamais passé à Winston-Salem ?

– Pas que je me souvienne.

Le maire a pivoté sur son tabouret avec un petit rire :

– Le Colonel ? À Winston-Salem ? Peu probable. Il évite toutes les villes depuis quand... la Bosnie ?

Bizarrement, Starr l'a ignoré.

– Vous connaissez un type appelé Dolph Andrews ? il a demandé au Colonel en plaquant sa photo sur le comptoir.

– Du tout, a répondu le Colonel. C'est votre meurtrier ?

– C'est ma victime.

– Je crains de ne pouvoir vous aider, a dit le Colonel en tournant les talons vers la cuisine. Alors s'il n'y a rien d'autre...

– Une dernière question...

Le café a retenu son souffle. Le Colonel était resté poli plus longtemps que tous s'y attendaient et, quand il s'est retourné, tout sourire s'était évanoui de son visage. Il a mis ses poings sur les hanches et pointé le menton en avant.

– Laissez-moi vous poser deux-trois questions moi-même, si ça ne vous dérange pas. Je suis en état d'arrestation ?

– Non, monsieur.

– Avez-vous l'intention de m'emmener pour un interrogatoire ?

– Non, monsieur.

33

– Avez-vous faim ?

– Non, monsieur.

– Alors, aidez-moi à comprendre ce que nous avons encore à voir ensemble ?

Le café s'est détendu. Ce n'était pas si terrible, surtout de la part du Colonel.

– Il s'agit de la Thunderbird, a repris Starr. Où l'avez-vous achetée ?

– Dans le comté de Robeson, je crois, a répondu le Colonel d'une voix lisse comme le verre. Payée en liquide. Il y a un problème ?

– Aucun. À quelle date ?

– Il y a un ou deux ans.

Le visage de Dale a reflété mon propre choc. Quoi ? Il venait d'acquérir cette voiture ! Pourtant, le Colonel ne ment jamais. Mon sang n'a fait qu'un tour.

– Arrêtez de le harceler ! j'ai crié en grimpant sur ma caisse de Pepsi pour me grandir.

– Je ne fais que poser quelques questions, a dit Starr. Ce Dolph Andrews collectionnait les voitures anciennes et il lui en manque apparemment une ou deux.

M. le maire Little en était bouche bée. Il a pris la salle à témoin. :

– Vous ne suggérez tout de même pas que le Colonel…

– Je ne suggère rien, a dit Starr. Il n'est pas interdit de conduire des voitures anciennes. Je les aime bien moi-même.

Le maire a esquissé un sourire rassuré.

– Si vous aimez les voitures anciennes, inspecteur, l'est de la Caroline du Nord est l'endroit idéal pour vous, il a conseillé en lissant sa cravate. Nous avons quantité de véhicules vintage par ici, n'est-ce pas, Colonel ? C'est un des petits privilèges de la pauvreté.

Starr n'a pas souri.

– Merci encore, Mo, il a dit. À la prochaine. Bientôt.

– Une autre visite ? a fait le maire en tendant la main. Nous l'attendons tous avec impatience.

Et moi je parie que non, j'ai pensé tandis qu'ils se serraient la main.

Alors que la porte se refermait derrière l'inspecteur, le Colonel a regagné la cuisine en bâillant et traînant des pieds.

– Donne un badge à un gars et il croit qu'il est le roi du monde, il a marmonné pour lui-même. La seule chose pire est un avocat.

Dehors, Starr tournait lentement autour de l'Underbird.

– Tu peux assurer l'encaissement, soldat ? m'a demandé le Colonel. Je prendrai la relève au dîner.

Dale se tenait sur la pointe des pieds pour essayer d'apercevoir par-dessus les permanentes des dames aux azalées ce qui se passait dans le parking.

– Qu'est-ce qu'il fabrique, ce Starr ?

– Il s'accroupit pour relever le numéro d'imma-
triculation du Colonel, a répondu Grand-mère Miss
Lacy Thornton de sa table à côté de la vitre. Pour
un homme de son âge, il a un excellent sens de
l'équilibre.

Un murmure approbateur est monté des dames
aux azalées.

Alors que Starr s'installait dans son Impala et
commençait à griffonner dans un bloc-notes, les
clients ont pris la caisse d'assaut pour régler leur
déjeuner. Seul Mr Jesse ne bougeait pas.

– J'pige pas pourquoi les gens s'intéressent à
un meurtre à une demi-journée d'ici quand ils se
fichent comme de leur première chemise de mon
bateau, il a dit en poussant trois dollars à travers
le comptoir et tendant la main pour recevoir la
monnaie.

– Oui, m'sieur, c'est dommage, a renchéri Dale en
remettant salières et poivriers en ordre. Dommage
qu'on ne puisse pas récupérer votre bateau. Eh !
Peut-être qu'on pourrait… Non, ça ne marchera
jamais. Je suis bête comme une souche, comme
dit papa.

– Laisse-moi juger de ça, a rétorqué Mr Jesse.
C'est quoi ton idée ? Allez, crache le morceau.

– Eh bien, je me disais juste que… si vous
proposiez une récompense…

Une récompense ! Mon cœur a bondi de joie
comme celui d'une pom-pom girl que je ne serai

jamais. Quoi qu'en dise notre maîtresse, Miss Retzyl, Dale a parfois des idées de génie.

Mr Jesse a fait la grimace.

– Tu crois que je devrais payer un voleur pour qu'il me rende mon bien ?

– Ne l'écoutez donc pas, Mr Jesse, j'ai dit en déposant la monnaie dans sa paume. L'idée de récompenser quelqu'un qui vous rapporterait votre bateau... ce ne serait pas bien. Mince alors, autant qu'il le garde, c'est la vérité vraie. En plus, vous n'avez pas besoin de bateau, et vous pourrez utiliser l'argent de la récompense pour... pour...

– Pour acheter des conserves, a suggéré Dale.

– C'est ça. Des conserves de thon. Si bien que vous auriez toujours une alimentation riche en poisson.

Et tout en astiquant un porte-serviettes avec mon bas de chemise, j'ai ajouté :

– Dommage quand même de perdre un joli bateau pour une histoire de petite prime à la bonne volonté.

Mr Jesse tambourinait des doigts sur le comptoir.

– Prime à la bonne volonté, a répété Dale. Ça, c'est bien dit !

– Oui, j'ai continué. Une récompense, c'est comme l'aide sociale qui, comme Mr Jesse l'a dit un million de fois, amènera la fin de la civilisation. N'est-ce pas, Mr Jesse ? Mais une prime à la bonne volonté ! C'est plutôt comme un salaire minimum.

Mr Jesse me fixait de ses petits yeux durs et luisants. Il a attrapé mon stylo et gribouillé une annonce sur mon bloc de commandes : « Prime de 10 $ pour le retour de mon bateau. Jesse Tatum. »

— Mets ça au tableau d'informations, il a lancé avant de claquer la porte derrière lui.

Nous l'avons suivi des yeux à travers le parking, alors qu'il faisait un détour pour éviter l'Impala qui démarrait en rugissant.

— Tu crois vraiment que Starr reviendra ? a demandé Dale alors que les feux arrière disparaissaient derrière un tournant.

— Ouais, j'ai répondu en pensant à l'Underbird du Colonel.

— Moi aussi.

Je le sentais dans la moelle de mes os : les ennuis étaient arrivés pour de bon à Port-Tupelo.

3 – La règle des trois jours

C e soir-là, alors que le Colonel s'activait dans notre salon, je me suis installée sur mon lit et ai inscrit un titre en grand à travers la couverture bleu vif d'un nouveau carnet à spirale : *LES CHRONIQUES DE PIGGLY WIGGLY*[1], *TOME 6, TOP SECRET. Si tu n'es pas moi, arrête de lire.*

Autant que je sache, je suis la seule fille de Port-Tupelo à rédiger son autobiographie. Je suis aussi la seule qui ait besoin de le faire. À l'heure qu'il est, ma vie n'est qu'un épais mystère. Avec, au centre, cette question : Qui est ma Mère d'Amont et pourquoi n'est-elle pas venue me chercher ?

1. Chaîne de supérettes du sud des États-Unis. Fondée à Memphis en 1916, c'est historiquement la première épicerie en self-service. Son implantation est restée essentiellement rurale. (N.d.T.)

Heureusement, je suis une détective-née, traquant le moindre détail de ma vie depuis ma naissance. Ma chambre est décorée essentiellement des indices que j'ai trouvés.

Les Tomes 1 à 5 des *Chroniques de Piggly Wiggly* sont alignés sur l'étagère au-dessus de mon bureau ancien. L'immense carte de Caroline du Nord, que Miss Lana m'a aidée à scotcher au-dessus de mon lit, visualise les lieux où j'ai cherché ma Mère d'Amont. Grâce à un lot de punaises de couleur, j'y ai indiqué tous les endroits où je sais qu'elle *n'est pas*. À présent, la carte est hérissée comme un porc-épic fluorescent.

Mon téléphone de chevet – un gros modèle noir des années 1950 avec un vrai cadran – a retenti très fort. À la deuxième sonnerie, j'ai attrapé le combiné.

– Appartement de Mo Lobeau, Mo à l'appareil. Un message dans une bouteille ? Oui, monsieur, c'est bien le mien. Vous l'avez trouvé où ?

J'ai sautillé sur mon lit et étudié la carte.

– La Pointe des cyprès ? Oui, je la vois sur la carte, monsieur. Non, je ne suis pas fâchée que vous ne soyez pas ma mère. Merci d'avoir appelé.

J'ai enfoncé une punaise dans la Pointe des cyprès et me suis rassise sur mon lit.

Comment me suis-je retrouvée sans mère ? Bonne question.

Je suis née il y a onze ans pendant un des plus féroces ouragans jamais connus. Cette nuit-là, pendant que les gens dormaient, les fleuves ont débordé et inondé les berges comme une mutinerie, descellant les maisons de leurs fondations, soulevant les morts de leurs tombes, avalant les vies comme des huîtres sucées toutes fraîches.

Certains disent que je suis née malchanceuse cette nuit-là. Pas moi. Je préfère dire que j'ai enchaîné trois coups de chance.

Premier coup de chance : que ma Mère d'Amont m'attache à un radeau de fortune et m'envoie tourbillonner vers l'aval, en lieu sûr. Deuxième coup de chance : que le Colonel emboutisse sa voiture et titube jusqu'à la crique juste à temps pour m'extirper de l'inondation. Troisième coup de chance : que Miss Lana me prenne chez elle comme si j'étais sa propre fille et me garde.

Pourquoi tout cela est arrivé est un Mystère à grande échelle. Miss Lana l'appelle « Fatalité ». Dale l'appelle « Miracle ». Le Colonel ne fait que hausser les épaules et dire : « C'est comme ça. »

Derrière mon dos, Anna Céleste Simpson – mon Ennemie-jurée-pour-la-vie – dit que j'ai été jetée à la rue et n'ai pas de vraie maison à moi. Personne n'a eu le courage de me le dire en face, mais j'entends les chuchotements comme l'assistant d'un lanceur de couteaux entend le sifflement des lames.

Je déteste Anna Céleste Simpson.

Le Colonel a frappé à ma porte ouverte et coulé un regard dans ma chambre, son ombre de barbe luisant à la lumière de la lampe.

– Occupée, soldat ?

– Pardon, chef, j'ai fait en refermant mon carnet. J'envisage d'écrire une introduction au Tome 6. C'est top secret.

– Je suis sûr que je n'ai pas l'autorisation officielle mais, en tant que membre dévoué de ton équipe du mess, j'envisage du pop-corn. Opinion ?

– Excellente stratégie, chef.

Puis, après une hésitation :

– Colonel, est-ce que Miss Lana est rentrée ?

– Pas encore. Mais elle n'est partie que ce matin. Nous sommes encore loin du délai de la Règle des trois jours.

Miss Lana et moi avons établi la Règle des trois jours l'année dernière, après que le Colonel a disparu une fois pendant toute une semaine dans les Appalaches. Elle a eu une peur bleue et a embarqué la moitié de la ville dans sa panique. Maintenant, chaque fois qu'un des deux s'en va, ce qui arrive souvent, la Règle des trois jours démarre automatiquement.

Ce n'est pas un souci pour Miss Lana, qui répond présente à l'appel quasiment tous les jours. Quand elle part, c'est pour aller rendre visite à son cousin Gédéon, à Charleston. En général ils font du shopping. Deux fois l'année dernière, elle m'a emmenée avec elle ; j'ai mes pantoufles écossaises pour le prouver.

La Règle est plus dure à suivre pour le Colonel. Quand il part, c'est pour aller dormir à la belle étoile – généralement en montagne ou en bord de mer, dans un endroit coupé du monde, d'où il ne peut envoyer aucun message.

Le Colonel a jeté un coup d'œil à mon téléphone.

– Miss Lana adore te parler, soldat. Il me semble que tu as le numéro de Cousin Gédéon.

– Oui, chef, je l'ai gravé dans mon cerveau. Mais je ne veux pas abuser de l'outil téléphonique.

Il a hoché la tête et s'est replié au salon.

J'ai ouvert mon Tome 6, sautant l'intro pour adresser plutôt un court message à ma Mère d'Amont. Je lui écris depuis que j'ai appris le script (Tome 2). Je croyais alors qu'elle arriverait d'une façon ou d'une autre à lire mes lettres que je n'envoyais pas. Maintenant, bien sûr, je sais qu'elle ne peut pas. Mais je lui écris toujours, par habitude et pour calmer mes pensées. En plus, ma maîtresse, Miss Retzyl, dit que les lettres personnelles constituent un riche matériau de recherche pour les autobiographies – ce qui dans mon cas est un avantage évident. J'ai pris mon stylo.

Chère Mère d'Amont,

Miss Retzyl affirme que ma vaste expérience dans la découverte de là où tu n'es pas m'aide à te localiser. Mais franchement, ma carte ne peut plus contenir de nouvelles punaises. Ni mon cœur. Onze années à chercher, c'est long. Envoie-moi un mot ou prends ton téléphone. Je suis au bord de la puberté.

Mo

Onze années, ce n'est pas des blagues.

Miss Lana a lancé les premières recherches quand j'avais une semaine. Elle a téléphoné tout le long du fleuve vers l'amont, visant les églises et les mairies jusqu'à Raleigh, tout à l'ouest. Quand nos voisins sortaient du bourg, ils demandaient aussi : « Est-ce qu'il manque un nouveau-né miraculé à quelqu'un par ici ? » Les cent soixante-sept punaises jaunes de ma carte indiquent les endroits où les gens ont répondu « non ».

Les punaises vertes correspondent aux bouteilles, qui ont commencé à s'y ajouter depuis l'été de mes huit ans. Moi et Dale, on s'était traînés jusqu'à la crique pour échapper à la chaleur et, tandis qu'on barbotait tranquillement, j'ai aperçu une feuille qui flottait au fil de l'eau. Je l'ai montrée du doigt, tout émue.

– Regarde.

C'était tellement évident ! Pourquoi ne pas y avoir pensé plus tôt ?

– Dale, qu'est-ce qu'on sait de ma Mère d'Amont ?

– Qu'elle n'est pas là, il a répondu en vidant la boue de ses poches.

– On sait qu'elle vit au bord de l'eau, je lui ai soufflé.

Il s'est rassis dans l'eau, soulevant un nuage de boue.

– Et alors ?

– Alors, si l'eau m'a enlevée à elle, l'eau peut nous réunir à nouveau, j'ai dit en regardant la feuille tournoyer au loin. Je vais lui envoyer un message par le fleuve, pour qu'elle puisse me trouver.

Quelques instants plus tard, j'étais dans le café, dégoulinante d'eau de la crique, en train d'expliquer mon plan à Miss Lana :

– Je mettrai des messages dans des bouteilles et les lâcherai aussi loin que possible en amont pour les laisser flotter jusqu'à ma vraie mère.

Miss Lana m'a dévisagée comme si j'étais une carte des étoiles et qu'elle s'était écrasée sur Mars. Elle a finalement articulé en rendant sa monnaie à Tinks :

– Je ne sais pas, ma puce. Les chances paraissent minces. Très minces.

– Mais il faut essayer, Miss Lana. Le fleuve est ma seule piste.

– Demain, je vais à Goldsboro chercher une pièce de tracteur, a proposé Tinks. Si tu veux, je lancerai un message pour toi du haut du pont.

Grand-mère Miss Lacy Thornton s'est tamponné les lèvres avec sa serviette.

– Je trouve que c'est une très bonne idée. Moi, je vais à Raleigh. Je serai heureuse de lancer également une bouteille, si tu le veux bien, Lana.

45

Puis, avec un sourire :

– Certaines choses sont plus jolies à regarder quand elles s'éloignent au fil de l'eau…

Miss Lana a approuvé d'un hochement de tête.

Jusqu'à présent, mes bouteilles ont échoué. De loin en loin, quelqu'un en trouve une et appelle, mais la plupart du temps elles disparaissent. Je reconnais maintenant, comme Miss Lana, qu'elles n'ont pas de grandes chances. Pourtant, j'en ai quelques-unes toujours prêtes pour les gens qui vont vers l'ouest, avec mon message type à l'intérieur : *Chère Mère d'Amont, Tu m'as perdue pendant un ouragan il y a onze ans. Je vais bien. Réponds-moi ou appelle au 252 555 4663. Mo.*

Parfois, je rêve encore qu'elle envoie une réponse qui vient flotter vers moi, mais je me réveille toujours avant de pouvoir la lire.

Le Colonel a tapoté un petit air militaire à ma porte et claironné :

– J'ai localisé l'huile de cuisine de Lana et la poêle. Pétarade de pop-corn dans cinq minutes chrono !

– Message reçu, chef.

Le Colonel est un magicien dans la cuisine du café. Il y organise tout en soigneuses piles et rangées. Miss Lana, elle, range notre cuisine personnelle selon une « fantaisie intuitive » – tours d'assiettes et de bols, conserves empilées par couleurs, réfrigérateur bourré de nourriture bio parfois limite avariée. Le Colonel prétend qu'il n'arrive pas à trouver le moindre satané truc, là-dedans. Il en dirait bien plus encore, mais Miss Lana n'autorise pas les jurons.

Le téléphone a sonné à nouveau. J'ai attrapé le combiné en criant : « Je prends ! »

– Allo ? Miss Lana ? Ah, bonjour Grand-mère Miss Lacy Thornton, comment allez-vous ? j'ai demandé en essayant de ne pas laisser entendre la déception dans ma voix. Très bien… Non, madame, pas encore, mais elle va appeler…

Miss Lana dit que l'avantage d'habiter un petit patelin, c'est que tout le monde connaît vos affaires et donne son avis. Le Colonel dit que le mauvais côté d'habiter un petit patelin, c'est que tout le monde connaît vos affaires et donne son avis. En réalité, c'est à double tranchant.

– Oui, madame, j'ai dit, la fête d'Anna Céleste est samedi mais je n'ai pas besoin qu'on m'accompagne… Pourquoi ? Parce qu'Anna Céleste est mon Ennemie-jurée-pour-la-vie et que je préférerais tomber la figure dans une assiette d'entrailles de poulet que d'aller à sa fête. En plus, je ne suis pas invitée… Oui, madame, je dirai au Colonel que vous avez appelé. Au revoir.

Anna Céleste Simpson – blonde, yeux bruns, sourire parfait – est devenue mon Ennemie-jurée-pour-la-vie au premier jour de maternelle.

Miss Lana m'avait accompagnée à pied à l'école et s'était enfuie en pleurant. Alors que j'attendais que la cloche sonne ma fin prochaine, j'ai aperçu une fille aux airs de princesse de l'autre côté de la cour boueuse. Une nouvelle amie ! Je me suis avancée vers elle mais sa mère, les lèvres pincées, lui a attrapé le bras en chuchotant très fort :

— Non, ma chérie. C'est cette fille du café. Elle n'est pas des nôtres.

Pas des nôtres ?

Jusqu'à ce moment, toutes les personnes que je connaissais étaient « des nôtres ». Enfin, j'aurais peut-être retrouvé mon aplomb légendaire si Anna Céleste ne m'avait pas toisée en me montrant un petit croissant de langue rose.

Pendant un instant, j'ai cru que j'allais pleurer, mais j'ai eu une meilleure idée. J'ai baissé la tête et foncé comme un taureau. Mon crâne a percuté le tendre estomac d'Anna au moment où la cloche sonnait, et j'ai trottiné vers ma première punition en la laissant suffoquer dans la boue.

Pour moi, c'était un jour de triomphe. J'avais identifié un ennemi et pris une décision pour la vie : je rentrerais peut-être à la maison lacérée après une bagarre, ou tard après une punition, mais je ne rentrerais jamais en pleurant. Et, à ce jour, je m'y suis toujours tenue.

Le Colonel a pris mon éducation en main. Miss Lana, elle, a eu du mal à s'y mettre.

– Attends, ma chérie, disait-elle en sortant un exemplaire écorné de *Soudain, être mère*, voyons ce qu'en disent les spécialistes.

Je me lovais contre elle alors qu'elle suivait les lignes du doigt :

– Comme je m'en doutais, il doit y avoir un meilleur moyen d'exprimer la rage enfantine. Allons à Piggly Wiggly.

À l'épicerie, elle m'a acheté mon premier carnet à spirale – rouge vif – et ainsi sont nées les *Chroniques de Piggly Wiggly*. J'ai rempli le Tome 1 de portraits gribouillés d'Anna Céleste dans la boue.

Le téléphone a sonné à nouveau.

– Résidence de Mo. Mo à l'appareil.

– Coucou, ma chérie, a dit Miss Lana, comment vas-tu ?

J'ai souri et refermé le Tome 6.

– Très bien. Et à Charleston ?

– Il fait très beau. Et chaud. (La voix de Miss Lana a la couleur du soleil dans du sirop d'érable.) Comment ça s'est passé aujourd'hui ?

– Très bien.

Un long silence a crépité sur la ligne.

– Qu'est-ce qui ne va pas ? a demandé Miss Lana, qui lit dans ma voix comme une bohémienne dans les feuilles de thé.

Devais-je mentionner le bateau de Mr Jesse ? L'inspecteur Joe Starr ? Le meurtre à Winston-Salem ? L'Underbird ? Le mensonge du Colonel ?

– Rien. Comment va le cousin Gédéon ?

– Très bien. Enfin, un peu anxieux. La première de sa pièce a lieu ce soir. Et le Colonel ?

Miss Lana s'inquiète beaucoup pour lui. Peut-être à cause de son passé, ou du fait qu'il n'en a pas.

Le Colonel est arrivé ici par la même nuit d'orage que moi, en percutant un pin à l'entrée du bourg. Certains disent qu'il a perdu la mémoire lors du choc. D'autres qu'il l'avait perdue *avant* de monter dans la voiture, sinon il ne se serait pas trouvé dehors pendant un ouragan. Dans un cas comme dans l'autre, il est sorti de cette voiture sans le moindre souvenir.

Les rumeurs tournoient autour du Colonel comme l'encre autour de la pieuvre. On raconte qu'il est un combattant à la retraite, ou un bureaucrate ; qu'il est d'Atlanta, ou de Nashville ; qu'il est arrivé en ville sans le sou, ou portant une valise pleine de dollars. Je le soupçonne d'avoir lui-même lancé la plupart de ces rumeurs.

– Le Colonel va très bien, j'ai répondu. Il prépare du pop-corn.

– Bonté divine, a-t-elle dit avec un sourire dans la voix.

– Pétarade de pop-corn ! a appelé le Colonel du salon.

Miss Lana a ri.

– On dirait qu'il a survécu. Va vite, chérie. Dis-lui bonjour de ma part. On se voit dans un jour ou deux.

– Oui, m'dame.

J'ai pris mon Tome 6 au vol et filé vers mon fauteuil préféré alors que le Colonel se tassait dans la bergère en velours. Parmi les chichis victoriens de Miss Lana, il a l'air d'un coyote en smoking.

Notre maison très décorée surprend toujours les gens habitués à l'intérieur simple et brut du café. Le Colonel a construit le café-restaurant et la maison ensemble, dans le même bâtiment. Le café donne sur la rue, notre maison sur la crique.

– Anna Céleste l'appelle le « Château du Culot » parce qu'elle nous trouve culottés d'en parler comme nous le faisons. Il faut dire que Miss Lana appelle sa chambre une suite et celle du Colonel ses quartiers. L'année dernière, le Colonel et Miss Lana m'ont aménagé mon propre appartement. Anna Céleste prétend que ce n'est qu'un bout de véranda fermé avec une salle de bains coincée sur un côté. Moi, je dis que je suis la seule fille de Port-Tupelo à avoir son propre appartement.

– Miss Lana a appelé, j'ai dit au Colonel, qui a souri. Elle va très bien.

– On regarde la chaîne de l'Histoire ? il a proposé en me tendant un bol de pop-corn. Tu as avancé ton intro ?

– L'autobiographie est difficile quand on n'a aucun élément, j'ai reconnu en m'asseyant.

J'ai repris mon stylo. *Miss Lana dit que sa vie est une tapisserie. La mienne ressemble plutôt à un patchwork*

fou cousu avec tout ce qui se trouvait à portée de main.
Et puis il y a le Colonel.

— Excuse-moi, chef, tu te sens plus comme une tapisserie ou comme un patchwork ?

Il a expédié une poignée de pop-corn dans sa bouche.

— Une couverture de laine, il a répondu. Chaude, râpeuse, trop laide pour se faire voler.

— Merci, chef, j'ai dit en refermant le Tome 6 et en me mettant à l'aise.

J'ai jeté un coup d'œil par la vitre vers les lumières de chez Mr Jesse qui scintillaient à environ deux cents mètres en contrebas, vers la crique, comme elles l'ont fait tous les soirs de ma vie.

C'est drôle comme on croit que certaines choses sont éternelles.

4 – Rendez-vous chez Lavender

L e lendemain, Mr Jesse s'attardait à déjeuner.
– Ce pudding est raté, il a lâché, un flocon de meringue accroché à son menton mal rasé. Enlève-le de mon addition.

J'ai visé le dessert du jour à moitié mangé.

– Le pudding à la banane du Colonel est renommé dans tout le comté, Mr Jesse. Vous souffrez juste du mal du prix, comme à chaque fois que vous commandez un dessert.

Dale a levé les yeux au ciel. Le Colonel dit que si on tendait à Mr Jesse un sandwich à deux dollars emballé dans un billet de vingt, il se plaindrait quand même du prix.

– Je ne peux pas reprendre un demi-pudding, Mr Jesse, vous le savez bien.

Il a fait claquer quatre billets verts sur le comptoir.

– Compte l'argent du pudding comme ton pourboire, il a grondé en s'en allant à grands pas furieux, rougeoyant de colère comme le soleil du soir.

Le Colonel est sorti de la cuisine et a jeté son tablier sur le comptoir.

– Vous avez tous les deux travaillé comme des chefs, il a dit en observant Mr Jesse disparaître au bas de l'allée. Vous avez quartier libre jusqu'à la fin de l'après-midi.

On a piqué un sprint vers la porte avant qu'il ne change d'avis.

– Tu veux aller pêcher ? j'ai demandé à Dale.

Il a bu un soda d'un trait et ratatiné la canette.

– Pas avant que Mr Jesse se soit calmé à propos du bateau. C'est pas que j'aie peur d'être pincé. C'est juste que j'suis trop mignon pour aller au bagne. Lavender me l'a déjà dit.

Comme je l'ai peut-être déjà mentionné, Lavender est le frère aîné de Dale.

– Eh, a fait ce dernier en me lançant sa canette vide. Teste-moi !

Dale rêve d'être le premier collégien à être accepté dans l'équipe de foot d'un lycée – parce qu'il chante aussi à l'église, ce qui rend mauviette, dit son père, tandis que le football américain fait l'effet inverse. Dale ne tire peut-être pas grand-chose de l'école, mais ses talents déployés en récré sont légendaires. Il est petit mais il réceptionne avec l'agilité d'un chat sauvage et est intrépide quand il monte sur une passe.

– En position ! j'ai lancé, en regardant à gauche et à droite. Prêt ? Hop-hop-hop !

Dale a foncé à travers le parking. J'ai reculé de trois pas et il a exécuté une parfaite trajectoire en crochet. Ma passe a filé haut, mais il a grimpé en l'air comme un chat à un arbre et l'a interceptée. «Touchdown ! »

– Je rentre à la maison voir où en est Mama, il a crié en virant à travers le parking en direction de son vélo. Tu veux qu'on se retrouve chez Lavender ? On peut le regarder faire les réglages de sa bagnole.

Rendre visite à Lavender ? La journée a pris une teinte dorée.

– D'acc, j'ai répondu en essayant de garder un ton neutre. On se retrouve là-bas.

On a deux rues à Port-Tupelo : la Première, où se trouve le café, et la Dernière, où habite Lavender. On aime dire chez nous que si vous cherchez quelqu'un, vous le trouverez toujours, qu'il soit premier ou dernier.

J'ai trouvé Lavender au travail dans sa cour, devant le capot relevé de sa Monte Carlo rouge délavé. Pendant qu'il bricolait, je me suis installée dans l'ombre fraîche et dense d'un chêne rouge et lui ai raconté la visite de Joe Starr – même s'il en avait sans doute entendu parler par cinq autres personnes avant moi. Il a gardé le silence jusqu'à ce que je mentionne le mensonge du Colonel.

— Il a menti sur l'Underbird ?

Son regard bleu doux et pensif m'a cherchée à travers le moteur de la voiture.

— Pourquoi donc ?

J'ai haussé les épaules, et d'un mouvement du poignet il a ramené en arrière ses cheveux blonds comme les blés. Lavender est grand et maigre comme un chien de chasse. Il porte ses cheveux peignés vers l'arrière comme s'il fonçait à travers la vie.

— Tu lui as demandé ?

— Pas la peine. Le Colonel ne parle que quand il est prêt à parler.

Lavender est beau gosse, dans le style NASCAR[1] et, si j'avais l'âge, je l'enlèverais et l'épouserais dans la journée. Je lui ai déjà demandé plein de fois, depuis le jour de mes six ans. Il dit que je suis trop jeune et ça le fait rire. Il a dix-neuf ans et se rapproche dangereusement de l'âge d'homme.

— Ça ne ressemble pas au Colonel de mentir, il a repris. Bien sûr, il est une énigme. On ne sait pas vraiment d'où il vient ni qui sont ses parents. (Il a rougi.) Ce que je veux dire, Mo, c'est que…

J'ai lancé un gland vers la baignoire pour oiseaux.

1. Désigne le monde des courses de stock-cars, avec ses codes culturels et son esthétique virile. (N.d.T.)

– Je sais ce que tu veux dire. Le Colonel et moi, on n'est pas vraiment parents. Tout le monde sait ça.

– Mais si, vous *êtes* parents, il a insisté. Juste pas parents de sang, c'est tout. Et, de toute façon, le sang ne compte pas pour beaucoup. Regarde Macon et moi.

Lavender appelle son père par son prénom mais, autant que je sache, jamais devant lui. Il a claqué la porte de chez lui le jour de ses dix-huit ans et n'y est jamais retourné. Il a emménagé ici le jour même.

La maison de Lavender est vieille, avec un toit rapiécé, mais il met un point d'honneur à garder sa véranda toujours balayée et ses lys bien soignés. Son enseigne en lettres manuscrites annonce dans la cour : « Doc Auto – Déplacements à domicile. » Grâce à lui, les roues des dames aux azalées tournent comme un charme et la Buick de Grand-mère Miss Lacy Thornton ronronne comme un chaton. Mais tout le monde en ville sait que Lavender a du mal à joindre les deux bouts.

– C'est possible. Peut-être que le sang compte pas pour beaucoup. Je suppose que le principal, c'est que le Colonel soit bon avec moi.

– Non, a fait Lavender en s'emparant d'un paquet de bougies d'allumage. Le principal, c'est que le Colonel t'aime. Et Miss Lana aussi. En parlant de Miss Lana...

– Elle va très bien. Elle est à Charleston, chez le cousin Gédéon.

– Ne t'en fais pas, elle est incapable de rester loin de toi très longtemps.

Il a replongé sous le capot.

– Comment avance ton autobiographie ?

– J'en suis toujours au stade des recherches. Miss Lana m'a donné un article de journal avant de partir, à propos de mon arrivée en ville. Ton père y dit deux-trois choses.

– Vraiment ? Je serais curieux de voir ça. Lavender ? Curieux de moi ?

J'ai souri.

– La vérité, c'est que l'autobiographie, c'est plus difficile que je pensais. Peut-être parce que j'ai tellement de blancs à remplir.

– Ouais. Moi, je suis plutôt un garçon à choix multiples.

Un silence gêné s'est installé entre nous.

– Dis, Lavender, j'ai repris au bout d'un moment. Ta nouvelle copine, c'est quoi son nom ? Candy ? Taffy ? Tu le sais peut-être pas mais une fille comme ça peut te pourrir jusqu'à l'os. Pourquoi pas plutôt m'épouser moi ?

Il a lancé son tournevis dans sa boîte à outils cabossée.

– Toi ? T'es qu'un bébé, il a fait avec un grand sourire. Passe-moi cette clé à cliquet. Faut que cette bagnole soit prête pour la course de ce soir. Où

58

est Dale d'ailleurs ? D'habitude, vous êtes comme cul et chemise, toujours l'un derrière l'autre.

– Rentré à la maison pour voir où en est votre Mama, j'ai répondu alors qu'il se penchait sur le moteur.

Je ne l'ai pas encore mentionné à Lavender, mais si on adopte des enfants après notre mariage, c'est moi qui choisirai les prénoms. Nommer n'est pas leur fort, dans la famille Johnson.

Le nom complet de Lavender, par exemple, c'est Lavender Shade Johnson[1]. Sans rire. Miss Rose dit qu'elle l'a appelé comme ça pendant sa Première Phase poétique. Quand Dale est arrivé, Mr Macon l'a appelé, lui, Dale Earnhardt Johnson III – en hommage à Dale Earnhardt, le pilote de stock-car le plus célèbre de l'histoire. Le « III » est là pour rappeler l'immortel chiffre 3 de Dale Earnhardt. Mr Macon voulait l'appeler Dale « Trey », du nom de la voiture, mais là, Miss Rose a tapé du poing sur la table. Fort.

Dale fait presque toujours le contraire de son père, mais il croit en la vertu de donner des noms de gens célèbres. Sa chienne, Elizabeth II, en est la preuve vivante.

Dale arrive, j'ai dit alors que celui-ci stoppait son vélo en dérapage, soulevant une gerbe de fin sable blanc.

---

1. « Lavande Ombre » Johnson. (N.d.T.)

— Hé ! p'tit frère, a lancé Lavender.

— Hé ! toi-même, a répliqué Dale en se laissant tomber à côté de moi, à l'ombre.

Il s'est adossé à l'herbe fraîche et a croisé ses jambes bronzées. Il avait enfilé une chemise propre — noire, comme d'habitude.

— Comment va Mama ? a demandé Lavender.

— Très bien. Elle est dans le jardin. Papa est passé — quelques minutes en tout cas.

Lavender lui a jeté un coup d'œil perçant. C'était drôlement tôt comme heure de retour pour un fermier, même un bon à rien comme Mr Macon.

— Tout va bien ?

Le haussement d'épaules de Dale disait tout : son père était rentré soûl. Lavender a jeté sa clé à cliquet dans sa boîte à outils plus fort qu'il n'était nécessaire.

— Qu'est-ce que vous avez prévu ce soir ? il a demandé en claquant le capot de la Monte Carlo.

— Il y a une soirée Karaté au café, j'ai dit. Mr Li vient de Snow Hill pour montrer à tout le monde de nouveaux mouvements.

Au cas où je ne l'aurais pas mentionné, je suis ceinture jaune.

Dale a soupiré. Il déteste la soirée Karaté, mais il déteste encore plus l'ivrognerie de Mr Macon.

— Ouais, il a dit d'une voix éteinte. La soirée Karaté, c'est probablement ce que je ferai aussi.

Son frère a essuyé les traces de doigts du capot de la voiture.

— Bonne idée. Sans doute meilleure que de fignoler les réglages de cet engin pour la Sycomore 200.

— La Sycomore 200 ? s'est exclamé Dale en se redressant d'un coup. C'est le top !

Lavender a souri.

— Mieux que le top, et ça rapporte si t'arrives au bout. Tout ce qu'il faut faire, c'est régler ce moteur.

— Depuis quand tu cours pour de l'argent ? j'ai demandé.

Il a fermé sa boîte à outils.

— Y a rien de mal à gagner de l'argent si tu le dépenses bien. En tout cas, il me manque quelqu'un pour chronométrer mes tours de circuit, ce soir, et j'espérais que vous pourriez me dépanner. Vous savez chronométrer, non ?

— Nous ? a glapi Dale. Chronométrer ?

C'était un honneur inimaginable.

— Je demande au Colonel si je peux venir, j'ai dit en bondissant sur mes pieds.

— Sam emmène la voiture sur le camion à plate-forme, a précisé Lavender en consultant sa montre. Nous, on prendra mon pick-up. Départ à quatre heures.

— J'en suis, a crié Dale en attrapant son vélo.

Il s'est penché vers moi.

— Je vais voir Mr Jesse. Ce serait bien d'avoir un peu d'argent de poche, il a chuchoté en clignant de l'œil.

L'argent de la prime ! Puis il a crié :

— Passez me prendre au pont !

Lavender a hoché la tête.

— Mo, dis au Colonel que je promets de te ramener avant dix heures.

— Je t'attendrai au café, j'ai lancé, en piquant un sprint.

— Hé ! apporte cette coupure de journal, a crié Lavender derrière moi, et j'ai agité le bras sans regarder en arrière.

J'ai foncé vers la maison, j'ai changé de t-shirt et fourré l'article plastifié dans ma poche. J'ai trouvé le Colonel dans la cuisine, en treillis délavé, un sac de patates à ses pieds. Il a souri en me voyant déraper sur le carrelage jusqu'à la table en Inox.

— Salut, soldat.

— B'jour, Colonel, j'ai répondu, pantelante.

— Je me disais que j'allais faire des pommes de terre à l'ail ce soir. Fanes de navets vapeur aux oignons verts, poulet grillé. Pendant mon voyage, j'ai acheté une marinade de teriyaki que je crois que tu vas aimer. Bouillon, racine de gingembre, huile de sésame, une touche de teriyaki…

— Ça m'a l'air super, j'ai dit. En fait, j'espérais que tu pourrais t'occuper seul des clients du dîner. C'est-à-dire, si ça ne te dérange pas.

Il a froncé le sourcil droit.

— Tu demandes une permission ? Alors que c'est la soirée Karaté ?

J'ai hoché la tête.

– La raison ?

– Déploiement au Carolina Raceway, j'ai dit. Moi et Dale, on nous a demandé de chronométrer pour Lavender. Pas d'inquiétude, chef, il n'y a aucun danger, j'ai ajouté.

– Je vois. Locomotion ?

– Pick-up GMC de Lavender Shade Johnson.

– Toujours aimé ce garçon, il a dit rêveusement. Dommage qu'il ait un nom pareil. Heure de départ ?

– Seize heures, j'ai lancé en essayant de convertir le quatre de la pendule sans bouger les lèvres. Je me suis déjà changée, j'ai ajouté en lissant mon t-shirt violet. Je sais que tu aimes que je sois bien habillée en public.

Hochement de tête.

– Retour ?

– Vingt-deux heures.

Il a lancé une patate dans la marmite et j'ai retenu ma respiration. Miss Lana ne me laisserait pas sortir jusqu'à dix heures du soir, même si le destin de la planète en dépendait.

– Très bien, soldat, il a dit enfin. Permission accordée. Mais j'attends que tu sois de retour à l'heure.

– Oui, chef, j'ai dit.

J'ai traversé la cuisine et déposé une bise sur sa tête. Il sentait le gingembre et l'après-rasage.

– Je ne sais pas pourquoi Miss Lana et toi vous
êtes disputés l'autre jour mais ne t'inquiète pas.
Elle reviendra.

Il a soupiré.

– Je sais. J'aimerais juste qu'elle reste tranquille.
Elle est tellement... fantasque.

– Un peu, sans doute... Mais elle t'adore.

À cet instant, le GMC de Lavender a rugi à
l'entrée du parking, klaxon tonitruant.

– Voilà Lavender ! j'ai crié.

– Alors, vas-y, soldat.

J'ai fait volte-face devant la porte. Le Colonel
avait l'air maigre et vieux et solitaire au milieu des
marmites et casseroles bosselées.

– Colonel ?

– Oui, soldat ?

– Je crois que je vois ce que tu veux dire à
propos de Miss Lana.

Il a levé les yeux vers moi, l'air aussi fragile et
vulnérable qu'un faon nouveau-né.

– Vraiment ?

– Oui, chef, j'ai dit. Elle me manque aussi.

Il a souri.

– Va donc, soldat. Ne fais jamais attendre un
camarade.

5 – Au Carolina Raceway

Lavender s'est penché à travers la banquette avant de son pick-up GMC de 1955 et a ouvert la portière. J'ai sauté sur le marchepied et plongé dans la cabine.

– Hé ! j'ai dit.

– Hé ! toi-même.

Quand il a enclenché les vitesses, l'engin s'est remis en branle en cahotant.

– Il est beau, ce pick-up, je lui ai dit.

Et c'était vrai. Lavender l'a trouvé dans une casse l'année dernière. Il l'a restauré pièce par pièce avant d'enduire ses formes arrondies d'une couche de peinture bleu nuit. J'ai plaqué mon nez au pare-brise pour mieux balayer des yeux le bord de la route.

– Dale doit être quelque part par là, j'ai ajouté à l'entrée du bourg. Le voilà, au pied du Pin de l'accident !

Dale a sauté à bord avant qu'on soit à l'arrêt.

— Désolé pour la boue, il a marmonné en raclant ses baskets l'une contre l'autre.

J'ai jeté un coup d'œil aux eaux noires de la crique et j'ai aperçu son vélo sur la rive, caché dans un enchevêtrement de *kudzu*[1].

— Comment tu t'es mouillé les pieds ? a demandé son frère.

J'ai changé de sujet avant que le bateau de Mr Jesse ne vienne dans la conversation — ce qui serait arrivé si Dale avait commencé à parler.

— Hé ! vous croyez pas que c'est là que le Colonel m'a trouvée ? j'ai demandé en scrutant au-delà de la rambarde du pont. Parce qu'il va me falloir une bonne description pour mon autobiographie.

— Ta *quoi* ? a glapi Dale, d'un air aussi dégoûté que si je lui avais tendu un truc mort. T'écris quand même pas pendant les grandes vacances, hein ? Je suis sûr que c'est pas réglo. Y a pas un règlement contre ça, Lavender ?

Il a changé de vitesse.

— Calme-toi, Dale. Mo fait des recherches, c'est tout.

— *Encore ?* a fait Dale d'une voix accusatrice. T'essayes de débrouiller ta vie chaque fois que t'approches de ton anniversaire, Mo, et t'as tou-

---

1. Plante grimpante envahissante très présente dans le sud-est des États-Unis. (N.d.T.)

jours pas réussi. J'aimerais bien que tu laisses ça tranquille. J'en ai marre d'en entendre parler. Y a pas de problème avec les parents que t'as.

— Eh bien, si toi tu t'en fiches, il y en a d'autres qui s'intéressent au Mystère de ma famille d'Amont, j'ai répliqué en sortant une coupure de journal de ma poche.

Je me suis éclairci la gorge et j'ai lu :

BÉBÉ TROUVÉ

Ce mardi, Macon Johnson, de Port-Tupelo, a trouvé un nouveau-né de sexe féminin aux abords de la crique alors qu'il venait en aide à un homme naufragé pendant l'ouragan. Il raconte :

« Quand je l'ai découvert, le vieux toqué portait un uniforme de colonel et un bébé à la main. Il a dit qu'il avait trouvé le bébé flottant sur des débris vers l'aval. Il l'a appelée Moïse. Si vous voulez mon avis, elle a une sacrée veine d'être en vie. »

Toute personne disposant d'informations sur cet homme, qui portait le nom de Lobo sur sa poche, ou sur le bébé, est priée de prendre contact avec M. le maire Little.

— Oui, c'est Macon tout craché, a commenté Lavender. Je suis surpris quand même qu'il n'y ait pas plus sur le Colonel.

— Il a son propre article, j'ai dit, en glissant à nouveau le journal dans ma poche et boutonnant le rabat. Miss Lana le garde pour lui.

Dale a jeté un coup d'œil par-dessus son épaule.

– Papa avait raison, Mo. Tu as eu de la chance de sortir vivante de cette crique.

– Mo a toujours eu de la chance, a renchéri Lavender.

Le camion a passé docilement ses vitesses et s'est installé dans un ronronnement régulier.

Une heure plus tard, on cahotait à travers des hectares d'herbe défoncée par les traces de pneus des camions à plate-forme garés jusque devant l'entrée du circuit.

– Hé ! Bobby, a lancé Lavender au gardien. Je te présente ma nouvelle équipe. La jolie fille est Miss Moïse LoBeau et l'affreux est mon frère, Dale. Ils vont chronométrer mes tours.

Bobby nous a passé deux stickers verts d'assistants techniques. La foule s'est ouverte devant nous comme la mer Rouge alors que Lavender laissait le GMC rouler jusqu'à l'arrêt.

– Tiens, p'tit frère, il a dit en sortant un billet de vingt dollars de sa poche. Allez nous chercher à manger et rejoignez-moi sur la piste. Mo, tu as ton sticker ?

– Ouais, j'ai dit en me tournant pour qu'il le voie sur mon cœur, en espérant ne pas rougir.

– Super. (Il s'est étiré.) Écoutez, Sam a amené deux dames, alors ne lésinez pas sur la bouffe, OK ? On ne veut pas paraître pingres. Ne vous en faites pas pour les boissons. On a apporté une glacière. Ça va ? Vous assurez ?

— Sans problème, a dit Dale en descendant sur le marchepied.

J'ai glissé du siège derrière lui.

— Mince, a marmonné Dale alors qu'on se dirigeait vers les stands. Toi, moi, Lavender, Sam, deux dames… ça fait six.

— Ne gaspille pas tes sous à acheter à manger pour ces filles, je lui ai dit. Comme je connais Sam, il a amené une paire d'ex-majorettes qui s'affament pour rentrer dans un jean de pom-pom girl.

J'ai scruté la file d'attente devant nous.

— Je vais au Château Chasse-d'eau. Je serai de retour avant que t'arrives au bout de la queue.

Dale a hoché la tête tout en s'efforçant d'apercevoir l'ardoise du menu, et je suis allée vadrouiller de mon côté dans la foule.

J'ai eu mon premier choc de la soirée juste à ma sortie des toilettes. Je prenais un virage à une vitesse presque olympique quand j'ai heurté de plein fouet une grande femme mince qui s'est pliée en deux en soufflant comme un vieil accordéon. J'ai valdingué sur le côté, sauté par-dessus un buisson d'azalées, me suis pris les pieds dedans et ai atterri en un tas informe à côté de l'allée en gravier.

— Eh, Miss Casse-cou, tu regardes un peu devant toi ? j'ai crié.

— *Moi*, je regardais, Mo, a dit la femme en essayant de se redresser. Et toi ?

— Quoi ?

J'ai roulé sur le dos et découvert un visage terriblement familier : Miss Retzyl, ma maîtresse de CM2. Et qui serait aussi ma prof de sixième l'année prochaine, frappée par la redoutable Malédiction des classes à double niveau.

— Miss Retzyl ? Vous devriez faire attention ! Vous auriez pu nous tuer toutes les deux !

Elle a lissé son chemisier blanc amidonné puis ses cheveux.

J'ai soupiré. La vérité, c'est que j'adore Miss Retzyl, qui est grande et élancée, rousse avec des yeux bruns. Elle est intelligente et posée et toujours à l'heure. Elle a une maison normale et conduit une décapotable bleu foncé. Pour ce qui est de la prévisibilité – une qualité rare dans ma vie –, c'est une perle. En plus, elle m'aime bien. Je me suis creusé la cervelle pour trouver quelque chose de brillant à dire, mais rien n'est venu. Alors j'ai bredouillé en désignant ses jambes :

— Mon Dieu, c'est quoi, ça ?

Elle a reculé en fixant ses sandales :

— Qu'est-ce que tu veux dire ?

— Des genoux, j'ai répondu. Vous avez des genoux.

Elle a froncé les sourcils.

— Bien sûr que j'ai des genoux, Mo. Tout le monde a des genoux.

— Oui, mais je ne les avais jamais vus. Vous portez toujours ces robes de grand-mères. Et aujourd'hui, vous portez un short !

Elle a souri d'un air inquiet.

– Tu es sûre que ça va, Mo ? Tu t'es cogné la tête ?

– Je vais très bien, j'ai répondu en essuyant les gravillons de mes tibias. Qu'est-ce que vous faites là ?

– Je suis ici… pour les courses.

– Vraiment ? Le frère de Dale est dans la prochaine. Moi et Dale nous chronométrons pour lui.

– Dale et moi, elle a murmuré.

– Oui. Voici mon sticker d'assistante technique, j'ai clamé en projetant ma poitrine en avant. Vous vous souvenez de Dale ? Troisième rang, cinquième chaise en partant de devant ? Blond, mauvais en maths, qui s'habille toujours en noir ?

– Bien sûr que je me souviens de Dale.

– Son frère pilote la voiture 32.

– Je ne manquerai pas de le regarder, a dit Miss Retzyl en commençant à s'éloigner. Eh bien, c'était un plaisir, Mo, mais mon ami attend et…

– Votre ami ? j'ai fait, stupéfaite. Vous avez des amis ? J'imaginais qu'une fois l'année finie, vous rentreriez chez vous pour lire, par exemple. Je n'avais jamais pensé à des amis.

Elle a souri.

– Bien sûr que j'ai des amis, Mo. À bientôt !

Puis elle s'est fondue dans la foule et j'ai rejoint Dale, qui se trouvait au début de la queue, derrière une seule personne.

– Tu ne devineras jamais sur qui je suis tombée. Miss Retzyl !

– C'est rien, il a répondu. Regarde là-bas.

J'ai suivi son regard. Le deuxième choc de la soirée est tombé comme un couperet.

– Miss Retzyl et...

– Joe Starr, il a complété d'une voix sombre.

Mes cheveux se sont dressés sur ma nuque. L'inspecteur Joe Starr tendait un hot-dog à Miss Retzyl et souriait.

Miss Retzyl et Joe Starr ? Ensemble ? Est-ce que le monde était tombé sur la tête ?

– Qu'est-ce que tu prendras, mon lapin ? a demandé la dame derrière le comptoir d'une voix rauque, ses lunettes papillon glissant le long de son nez effilé tandis qu'elle souriait à Dale.

– Six sandwiches à la mortadelle grillée, trois parts de frites et autant de M&Ms que je pourrai en avoir avec ce qui restera, a dit Dale en poussant le billet de vingt dollars vers elle. Tu veux autre chose, Mo ? J'ai la prime de Mr Jesse, il a ajouté en tirant sur sa poche ouverte pour faire voir ses deux billets de cinq dollars.

J'ai harponné un billet de cinq et secoué la tête.

On s'est frayé un chemin vers la piste en serrant contre nous nos sacs graisseux de victuailles. J'avais raison à propos des amies de Sam : deux jumelles chevelues aux visages maigres appelées Crissy et Missy. Elles étaient assises sur les chaises pliantes à l'arrière du GMC à siroter des Diet 7 Up et à décocher des œillades à Lavender et Sam. Dale s'est avancé galamment.

– Un sandwich à la mortadelle ?

Crissy a jeté un œil dans le sac.

– Non, merci, mon chéri, on est au régime. Mais tu es *tellement* chou que je pourrais te manger à la cuillère.

Dale a viré au rouge aussi pétant que leur vernis à ongles. Il m'a lancé son sac et a filé rejoindre son frère. J'ai sautillé derrière lui.

– Fais gaffe à l'intérieur du quatrième virage, disait Sam par-dessus la voiture. Il est abîmé et tu risques de déraper.

Lavender a attrapé un sandwich.

– Mo, Dale, je vous veux tous les deux sur le pick-up.

– Avec les jumelles Buffy et Muffy ? j'ai demandé en passant des frites à Sam.

– Ce sont Crissy et Missy et je n'épouse aucune des deux, alors sois gentille. Dale, j'aimerais que tu chronomètres les tours. N'arrondis pas. Mo, s'il te plaît m'dame, j'ai besoin que tu entres les temps dans ce registre. Je veux voir comment on avance, tour par tour, OK ?

J'ai hoché la tête. Dale a tendu la main.

– Tu peux compter sur nous.

Lavender a caché une ombre de surprise.

– Je le sais bien, il a dit en serrant la main de Dale. C'est pour ça que je vous ai demandé.

Alors que nous nous postions sur le hayon du GMC, dos tournés aux jumelles, Lavender enfilait sa combinaison de pilote soigneusement écussonnée, se tortillant pour y glisser ses hanches et l'envoyant d'un coup de reins par-dessus ses épaules. Il a fixé son casque, balancé ses jambes par l'ouverture côté pilote de la Numéro 32 et filé en zigzag vers la piste. J'ai donné un petit coup de coude à Dale.

– Regarde !

De l'autre côté de l'allée, Starr fendait la marée des fans de stock-cars comme un remorqueur entraînant Miss Retzyl, ballottée dans son sillage. Ils ont passé la grille d'entrée.

– Ils vont rater la course…

J'ai remarqué un éclair de gyrophare bleu dans le parking. Alors qu'une sirène retentissait, j'ai dit dans un souffle :

– J'espère qu'on n'arrête pas Miss Retzyl.

– Pour son mauvais goût en matière de petits copains ? a demandé Dale.

Lavender s'est glissé dans le peloton, faisant chauffer son moteur.

– C'est le départ, a crié Dale. Ça y est !

Le drapeau s'est abattu.

La nuit a rugi.

La course commençait.

Dale criait les temps, tour après tour. Au vingt-huitième, Sam a fait signe à Lavender de se ranger. Il a crié et montré le pneu arrière gauche. Lavender a claqué sa paume contre le tableau de bord et ré-accéléré pour regagner la course en faisant hurler les pneus.

Sam est venu vers nous à grands pas furieux et a pris un soda dans la glacière.

— Qu'est-ce qui va pas ? a demandé Dale. Pourquoi Lavender est en colère ?

Sam fulminait.

— Oh, c'est probablement rien. Ce pneu arrière gauche n'a pas l'air comme il faut et ton frère est tellement entêté...

L'accident est arrivé trois tours plus tard. Lavender a dérapé en travers du quatrième virage, ses pneus arrière crachant de la fumée. La foule s'est levée comme mille marionnettes actionnées par le même fil, bouche ouverte. Et j'ai retenu ma respiration alors que Lavender restait en travers de la piste inclinée — glissant, glissant, glissant —, les bolides l'évitant miraculeusement par de brusques embardées. Finalement, la Numéro 45 a arraché son pare-chocs, l'envoyant valser dans la barrière en béton au pied des stands.

On aurait dit que la soirée passait au ralenti alors que la voiture de Lavender faisait des tonneaux le long du mur, se rétablissait à l'endroit et s'immobilisait sur le terre-plein. Avant de me rendre compte que j'étais debout, je courais déjà vers lui.

Dale m'a dépassée et a glissé les bras par la fenêtre du pilote. Avec Sam, ils ont extirpé Lavender, qui était inerte dans leurs bras, alors que l'équipe médicale se précipitait vers lui.

Une demi-heure plus tard, Lavender était assis dans le fourgon de secours alors que Doc Aikin tournait son bras sous une vive lumière jaune. Le toubib a dit :

– C'est un miracle que tu sois sorti en un seul morceau de cet accident. Tu ferais bien d'avoir quelques points de suture à ce bras. Tu as une assurance ?

Lavender a tressailli de douleur.

– Vous rigolez ? Mettez juste un sparadrap, Doc.

– Je vais tout de même te donner des antibiotiques. Et pour ta tête…

Il a incliné le crâne du blessé vers l'arrière et lui a dirigé un faisceau de lumière dans l'œil.

– Qu'est-ce qu'il a à la tête ? a demandé Dale d'une voix tremblante.

Il avait à peine dit un mot depuis que son frère était revenu à lui dans la civière, en crachotant et donnant des coups de pied. Doc est baraqué comme un morse, aussi grand que Lavender et deux fois plus large, mais il a adressé un gentil sourire à Dale.

– Il peut avoir une commotion cérébrale mais c'est trop tôt pour le dire.

Il a sorti sa carte de son portefeuille et l'a glissée dans la poche de chemise de Lavender.

– Il a besoin de repos. Mais s'il n'arrive pas à rester éveillé et se met à vomir, vous m'appelez et je vous retrouverai à l'hôpital. Assurance ou pas. Compris ?

Dale et moi avons hoché la tête comme des chiens articulés de tableau de bord.

– Maintenant, Lavender, où comptes-tu passer la soirée ?

Lavender observait Sam hisser au treuil l'épave du bolide sur la plate-forme du camion.

– Je pense ramener mon équipe chez elle et puis je passerai chez Sam...

Doc a suivi son regard.

– Niet. Pas d'alcool, pas de femmes. Surtout pas des jumelles.

Dale a effleuré la main de son frère.

– Tu pourrais rester à la maison. Juste pour cette nuit. Mama serait contente et papa... serait probablement pas contre.

– Excellent, a dit Doc. Alors voici ma proposition. Tu vas chez ta mère avec mes adjoints nommés ici même, ou bien tu vas à l'hôpital.

– Adjoints ? j'ai répété en me redressant toute droite. Avec un badge ?

– C'est ta décision, Lavender, a continué le docteur. Qu'est-ce que tu choisis ?

– Je suppose qu'une nuit à la maison ne va pas me tuer, il a bougonné.

– Bien. Naturellement, tu ne conduis pas avec cette blessure à la tête, alors…

Je le sentais venir : un appel au Colonel, le suppliant de venir nous chercher comme une bande de petits morveux. Il fallait que j'agisse vite.

– En fait, Doc, ces jumelles chevelues là-bas rêvent de nous reconduire à la maison. Crissy peut nous emmener tous les trois dans le GMC et Missy sera folle de joie à l'idée de conduire le camion à plate-forme si Sam n'est pas dans son assiette. Ces jumelles sont partantes, et elles sont sobres à en crever à force de siroter du Diet 7 Up toute la soirée. Si vous ne me croyez pas, faites-leur une prise de sang.

Ça a marché du tonnerre.

– T'es sûre que tu peux conduire ce pick-up ? a demandé Lavender à Crissy quelques minutes plus tard alors qu'elle se glissait derrière le volant du GMC. Parce que c'est une voiture de collection, alors…

– Prêts ! j'ai crié en me laissant tomber à côté de Dale sur le plateau arrière et m'adossant à la cabine.

Crissy a enclenché les vitesses et on a bondi dans la nuit.

Dale et moi avons somnolé jusqu'à ce qu'une vitesse maladroitement rétrogradée nous réveille à l'entrée du bourg.

— On a pris le raccourci du pont du Fou ? a fait Dale en bâillant et en jetant un coup d'œil sur le côté de la cabine.

Des lumières bleues tournoyaient dans la nuit.

— On dirait un barrage routier.

— Peut-être qu'ils passent tout le monde à l'Alcotest, j'ai suggéré.

Il a secoué la tête.

— Nan. Trop de lumières. Des gyrophares de flics, de secours, des phares. Un accident, peut-être. On dirait qu'ils font faire demi-tour.

Effectivement, une Cadillac blanche se dirigeait vers nous et s'est arrêtée en douceur, moteur ronronnant. La vitre électrique s'est abaissée et Mrs Betty Simpson — mère de mon ennemie jurée Anna Céleste — a plissé son front sévère dans l'obscurité.

— Hé ! Mrs Simpson, j'ai dit. C'est Mo. Comment allez-vous ?

— Mo, elle a dit en suivant des yeux les courbes du GMC. Dans une guimbarde. Pas exactement à mon goût, mais comme ça doit te plaire !

La méchanceté est dans la nature de la famille Simpson.

— C'est pas une guimbarde, c'est un véhicule de collection, j'ai dit.

– Quoi que ce soit, vous pouvez lui faire faire demi-tour, elle a répondu. Le pont du Fou est fermé. La police ne vous laissera pas passer.

– Fermé ? a demandé Dale. Pourquoi ?

Mais la vitre est remontée avec un ronronnement électrique et Mrs Simpson a disparu.

Crissy a manœuvré un demi-tour magistral en trois coups et nous avons fait un détour jusqu'à la maison de Miss Rose. Alors qu'on s'immobilisait, Dale a sauté par-dessus le côté du pick-up. Il a lancé :

– Attendez là que je voie si papa est levé.

– Désolée de te contrarier, mon chou, a dit Crissy, mais il faut que j'aille faire pipi. Et Missy aussi, j'en suis sûre, elle a ajouté alors que sa jumelle arrivait à son tour.

Nous avons remonté l'allée jusqu'à la véranda, où Dale a tenu la porte-moustiquaire aux frangines en appelant :

– Mama ! Je suis rentré.

Miss Rose était assise à son secrétaire, en train d'écrire dans un grand bloc-notes tout en écoutant la radio.

– Hé ! chéri, elle a fait sans lever les yeux. Comment ça s'est passé ?

Je me suis avancée dans la lumière de la lampe.

– Bonsoir, Miss Rose.

– Salut, Mo.

Elle a aperçu les jumelles et s'est levée d'un bond.

– Seigneur, je ne savais pas que tu avais amené du monde à la maison, Dale.

– Elles ne sont pas à Dale, elles sont à Sam, j'ai expliqué. Miss Rose, j'aimerais vous présenter les jumelles. Celle-ci est Crissy et celle-là Missy. Ou l'inverse.

– Enchantée de faire votre connaissance. Voulez-vous vous asseoir ?

– Elles peuvent pas, elles doivent aller au petit coin, j'ai dit, tout en indiquant la direction du couloir. C'est à droite, la lumière est à côté de la porte. Miss Rose, j'ai continué, je crois que vous devriez vous asseoir.

Dale a renchéri d'un hochement de tête et elle s'est rapprochée du canapé. Miss Rose est la personne la plus polie que je connaisse.

– Où est papa ? a demandé Dale.

Miss Rose a hésité.

– Il se repose.

Dale a eu l'air soulagé.

– Dans l'ancienne chambre de Lavender ?

Elle a hoché la tête.

Le père de Dale dort dans la chambre de Lavender quand il a trop bu parce que sa femme ne le supporte pas à côté d'elle dans cet état. Je le sais parce que Dale me l'a dit. Ce n'est pas quelque chose dont Miss Rose et moi parlons.

– Il dort bien ? a demandé Dale.

« Dort bien » est leur code pour « est ivre mort ».

Elle a hoché lentement la tête.

– De quoi s'agit-il ?

– Laisse-moi lui dire, Dale, j'ai répondu. Comme tu dis les choses, tu vas la tuer.

– Me dire quoi ? a-t-elle demandé, soupçonneuse.

J'ai pris une grande inspiration.

– Miss Rose, j'ai le regret de vous dire que votre premier-né a percuté un mur en béton la tête la première à environ 150 km/heure, suite à quoi nous pouvons tous nous réjouir que dans votre famille on ait la tête dure. Il est dehors en ce moment, espérant que son papa le laissera entrer sans faire d'histoires et nous espérons que son état ne va pas empirer car Doc Aikin a dit que s'il part en commotion, il faudra l'emmener d'urgence à l'hôpital. Dale et moi avons été nommés par le docteur pour veiller à cela.

Miss Rose était déjà au milieu de la pièce.

– Lavender Shade Johnson ! Entre immédiatement dans cette maison, elle a dit en ouvrant la porte-moustiquaire.

Lavender est entré, l'air penaud.

– Hé ! Mama.

Elle a sursauté. Le bleu sur son front avait étendu des doigts foncés et avides jusqu'à son œil.

– Assieds-toi, a dit sa mère en le poussant jusqu'au canapé. Dale, va chercher une serviette et de la glace. Et apporte-moi un oreiller de mon lit.

Elle s'est penchée pour ôter les bottes de Lavender, marquant une pause en découvrant ses chaussettes — une grise et une noire.

— Dieu soit loué tu n'as pas eu besoin d'aller à l'hôpital. Où est Dale ? Où est cette glace ?

— Hum, Miss Rose, a fait Sam en entrant timidement dans la pièce. Je peux aider ?

Miss Rose s'est levée et lui a collé un direct dans le bras.

— Vous en avez assez fait comme ça, elle a dit. Entraîner mon fils dans la course automobile. À quoi pensez-vous ?

Lavender a eu un sourire amusé.

— Moi, l'entraîner *lui* dans les courses ? a dit Sam en se frottant le bras et reculant vers la porte. Miss Rose, je n'ai jamais...

— Il aurait pu se tuer.

— C'est la vérité, j'ai ajouté. Doc Aikin l'a dit. Plus ou moins.

— Et qui est responsable de ces jumelles ? Qu'avez-vous à dire pour votre défense, Sam Quinerly ?

— Je... Ce que je veux dire, je vais juste montrer la porte de derrière à ces dames, il a dit en s'éclipsant vers le couloir.

— Et ne réveillez pas le père de Lavender, elle a dit. Et ne conduisez pas non plus. Vous sentez comme une brasserie. Et dites à Dale de venir avec cette glace.

— Oui, m'dame. Mo, je te ramène à la maison ?

– Vas-y, Mo, a dit Lavender avec un clin d'œil. Tu m'as assez sauvé pour aujourd'hui.

– Attendez, j'ai dit en prenant la main de Miss Rose. Laissez-moi appeler le Colonel et voir si je peux rester dormir. S'il vous plaît, j'ai supplié. *Je suis nommée par le docteur.*

Pour la première fois depuis que Lavender avait passé la porte, Miss Rose m'a regardée. Son visage s'est adouci et elle a tendu la main pour m'écarter les cheveux des yeux.

– Parfois, je me dis que tu aimes Lavender presque autant que moi, elle a dit.

– Je vais m'étouffer, a fait Dale avec une grimace, en tendant à sa mère une serviette remplie de glace.

– Alors, appelle le Colonel, a dit Miss Rose. Dis-lui que tu es invitée.

J'ai fusé à travers la pièce et attrapé le téléphone. Le Colonel a répondu à la première sonnerie.

– Ici le Colonel. À vous.

– Hé ! Colonel, c'est Mo.

– Où es-tu, soldat ?

– Je suis chez Dale. Je suis invitée à passer la nuit et…

– Je te veux à la maison, il a répondu.

– Oui, chef. Mais le truc c'est que…

– Je te veux à la maison. Maintenant. C'est un ordre.

– Je vois. Attendez une seconde, chef.

J'ai mis ma main sur l'émetteur.

– Miss Rose ? Le Colonel aimerait vous parler pour arranger les détails de ma visite.

Miss Rose a glissé gracieusement vers moi et pris le téléphone.

– Bonsoir, Colonel. J'espère que vous allez bien. Nous serions ravis que Mo reste avec nous cette nuit si...

Elle a hoché la tête pendant qu'elle écoutait, son sourire s'effaçant de son visage.

– Je vois, elle a fini par dire. Sam va la ramener immédiatement.

Son visage a viré au gris cendre.

– Non, je n'étais pas au courant.

Ses genoux ont fléchi et elle s'est laissée tomber sur la chaise à côté du téléphone.

– Certainement, elle a dit. Je la garde en sécurité jusqu'à votre arrivée.

Elle a laissé le combiné retomber sur sa base et un silence inquiétant a rempli la pièce.

– Qu'est-ce qui ne va pas ? a demandé Lavender, se remettant sur ses pieds.

– Il y a eu un meurtre au pont du Fou. Jesse Tatum est mort.

– Mr Jesse ? j'ai glapi. *Notre* Mr Jesse ?

– Qui l'a tué ? a demandé Lavender.

– On ne sait pas qui l'a tué, ni pourquoi. Ni où est le meurtrier, d'ailleurs, a dit Miss Rose en jetant un coup d'œil à la porte. On a trouvé son corps dérivant dans sa propre barque. Celle que quelqu'un avait volée...

J'ai regardé Dale.

Le sang a reflué de son visage comme un rideau qui tombe alors que, de son côté, Lavender traversait la pièce et verrouillait la porte.

6 – Barricadez-vous

L'Underbird cahota au bas de l'allée de Miss Rose et retrouva le goudron menant au bourg. Le visage du Colonel avait l'air émacié à la lueur du tableau de bord. J'ai demandé :

– Mort ? Tu es sûr que c'est *notre* Mr Jesse ?

– J'en suis sûr.

Je me suis enfoncée dans mon siège et ai pris une grande inspiration. J'avais l'impression d'avoir un millier d'araignées en train de filer leur toile dans ma tête.

– Quelqu'un a dû faire une erreur, j'ai dit. J'ai servi son déjeuner à Mr Jesse il y a pas huit heures. Il a radiné sur mon pourboire, comme chaque fois. Il va bien. Tourne par la grange de Miss Blalock, là-bas. On va passer par-derrière chez Mr Jesse à travers les bois. Il va arranger ça.

– Je crains que ce ne soit pas possible, a dit le Colonel en dépassant l'embranchement.

Ma colère a sauté comme un chat et fait quelques bonds surexcités dans ma poitrine.

— Fais demi-tour ! je me suis entendue crier.

Mais il n'a pas cillé.

— Très bien, j'ai marmonné en me recroquevillant. Je prendrai mon vélo. Je trouverai Mr Jesse moi-même. Ou bien la police le trouvera. Tu verras.

Le Colonel a posé sa main sur la mienne.

— La police a déjà trouvé Jesse Tatum. C'est pour cela qu'elle sait qu'il est mort.

Elles sont rugueuses, les mains du Colonel, mais leur toucher est doux comme la nuit qui tombe.

— La mort est toujours choquante, il a continué. C'est la première fois que tu vis ça, et celle de Jesse n'avait en plus *rien* de prévisible. Prends le temps de retrouver tes esprits.

Je me suis affalée au fond du siège en regardant les pins clignoter dans la lumière des phares.

— Tu ne le sais peut-être pas, j'ai dit, mais Mr Jesse était comme un père pour moi.

Le sourcil droit du Colonel s'est soulevé.

— OK, pas comme un père. Plus comme un oncle, peut-être. Un oncle radin et égoïste, mais secrètement gentil à l'intérieur.

Il a soupiré.

— Jesse Tatum était un vieux bouc pingre et puant. La vérité, c'est que tu ne l'aimais pas vraiment, ni moi non plus. Mais quand même, on était habitués à lui. Il faisait partie de notre monde. Il me manquera, et à toi aussi, j'imagine.

Nous avons continué notre route en silence jusqu'à l'entrée du bourg.

— Colonel, qui voudrait tuer Mr Jesse ?

— Je ne sais pas. La police se le demande aussi — mais je doute qu'elle ait l'intelligence de le découvrir. Ne sous-estime jamais l'imbécillité de notre système pénal, soldat.

— Non, chef, j'y veillerai. Mais...

— Écoute-moi, il a dit d'une voix devenue pressante. Garde tes yeux et tes oreilles grands ouverts, et garde tes opinions pour toi. Tout ce que tu apprends sur Jesse, dis-le-moi. Ou si je suis parti, à Lana. Nous sommes en sécurité mais il y a un meurtrier parmi nous. Nous devons nous préparer à nous défendre, si nécessaire. Et la meilleure défense, c'est quoi, soldat ?

— L'attaque, j'ai répondu. Tu me l'as dit cent mille fois. Je ne vois juste pas comment...

— Laisse-moi m'occuper du « comment ». On y est, il a ajouté, en prenant à droite devant le café. Si ça se trouve, ma place à côté de la porte est encore libre.

J'ai parcouru des yeux le parking bondé. Alors que l'Underbird s'immobilisait dans un frisson, j'ai murmuré :

— La soirée Karaté, j'avais oublié.

Le Colonel a hoché la tête.

– Et d'autres personnes sont venues aux nouvelles pour Jesse. Elles ont peur. Il ne s'est jamais rien produit de pareil à Port-Tupelo.

Il a ouvert sa portière et m'a fait un rapide sourire.

– Le cours de Mr Li est presque fini, mais peut-être que tu te sentirais mieux si tu pouvais donner quelques coups de pied ?

– Peut-être, j'ai soupiré en me dirigeant vers la porte du café. De toute façon, je ne pourrai pas me sentir vraiment pire.

Mr Li a lancé les soirées Karaté au café il y a deux ans. Le Colonel garde seulement le comptoir ouvert après le coup de feu du soir et le laisse pousser les tables contre les murs. En échange, Mr Li nous donne à Dale et moi des leçons gratuites à vie. Dale déteste ça. Moi, j'aime bien savater les autres, mais je me débrouillerais mieux dans un art martial qui permettrait de cracher.

Le Colonel propose la soirée Karaté comme un service public, de même que la soirée Filles du mardi et le Bal du jeudi. Les lundis et mercredis, nous les gardons libres pour les fêtes de mariage d'urgence.

Alors qu'on entrait dans le café, Mr Li, portant son gi blanc impeccable et sa ceinture noire délavée, a immédiatement repéré le Colonel.

– *Rei !* il a crié.

Ses élèves se sont tournés vers le Colonel pour le saluer et il a salué en retour.

Certains prétendent que le Colonel a gagné sa ceinture noire à Okinawa et tué un homme pour l'obtenir. D'autres disent qu'il l'a achetée au marché aux puces de Fayetteville et qu'il n'a jamais pris une leçon de sa vie. Quoi qu'il en soit, Mr Li le salue toujours – au cas où, comme dirait Miss Lana.

– Miss Mo, veux-tu nous rejoindre ? m'a demandé le Maître. Miss Anna a besoin d'une partenaire. Interdit de cracher.

J'ai attrapé une paire de protections et bondi face à Anna Céleste Simpson.

– Hé ! Mo-rue, elle a chuchoté avec une lueur mauvaise dans les yeux.

– Hé ! toi-même, Attila Céleste, j'ai sifflé.

Mr Li a frappé dans ses mains.

– Blocage des dix mains. Allez-y !

J'ai foncé sur Attila en balançant mon poing de toutes mes forces. Malheureusement elle a bloqué chacun de mes coups. Mr Li a fait sonner son sifflet.

– Coup de pied circulaire ! Penchez-vous et tournez votre corps quand vous frappez. Mettez-y tout votre poids. Allez-y !

– C'est quoi cette odeur ? a demandé Attila, pantelante, après notre troisième set.

– La sueur, j'ai dit. Ta mère ne t'a pas prévenue ?

– Au moins, moi j'ai une mère, Mo-rue. Et ce n'est pas de la sueur que je parle.

J'ai reniflé.

– Salades d'algues, j'ai dit. Miss Lana en a fait un stock pour la soirée Karaté. Elle dit que c'est thématique. Le Colonel les offre avant qu'elles pourrissent.

Mr Li a frappé dans ses mains.

– Mo ! arrête de bavarder !

Pendant qu'on pratiquait, d'autres habitants sont arrivés les uns après les autres, avides d'informations et de la présence rassurante d'amis. À neuf heures et quart, le maire Little a fait irruption, essoufflé et luisant de sueur. On s'est figés.

– Tout le monde se calme, il a soufflé, éventant sa figure rougie à deux mains. Pas de panique. L'inspecteur Starr a la situation en main. Cet homme est une bénédiction. Restez calmes et ayez foi en votre force publique. Nous allons surmonter ce petit obstacle en un rien de temps.

Attila Céleste a levé la main.

– Je trouve injuste d'appeler Mr Jesse un petit obstacle juste parce qu'il est mort. Ce n'est pas comme s'il pouvait se défendre.

L'espace d'un instant, je l'ai presque aimée.

Le maire a zigzagué à travers la salle en tenant sa cravate pour éviter qu'elle n'effleure nos bras en sueur.

– Alors, c'est donc vrai, monsieur le Maire ? a roucoulé Grand-mère Miss Lacy Thornton du bout du comptoir. Jesse Tatum est officiellement mort ?

– Mort est un terme si peu flatteur, il a dit en glissant sur un tabouret. Je préfère penser à Jesse comme… *passé**.

Les dames aux azalées ont tressailli.

– Ça veut dire quoi, « *passé* » ? a demandé Tinks Williams au Colonel à voix basse.

– Mort, a répondu le Colonel en le resservant de thé glacé.

Mr Li a frappé dans ses mains, rappelant la classe à l'attention.

– Alignez-vous pour les coups de pied ! il a ordonné. Hauts grades en premier !

Thes, ceinture verte, et la prodige judiciaire Skeeter McMillan, ceinture marron, ont fait un pas en avant avec trois lycéens.

– Attaque numéro un, a crié Mr Li. Coup droit avant, un-deux, coup de pied circulaire ! Allez-y !

Ils se sont mis en mouvement à l'unisson, glissant sur le sol comme un gang de ballerines meurtrières.

– Groupe suivant ! Allez-y !

La porte du café s'est ouverte d'un coup alors que je frappais vers la tête d'Attila. Elle a esquivé juste à temps, perdu l'équilibre et s'est affaissée par terre.

– Joli coup de pied circulaire, Mo la Biblique, a lancé l'inspecteur Starr depuis le seuil.

* En français dans le texte.

Il a parcouru la salle des yeux comme s'il pouvait capter chaque visage qui lui renvoyait son regard.

— Je prendrais bien une tasse de café, Colonel, si vous en avez, il a dit en s'avançant vers le comptoir.

Le Colonel a retenu une grimace tandis qu'il attrapait un mug propre. Starr avait le regard fatigué et son pantalon gris était noir de boue.

— Je sais que vous avez des questions et j'y répondrai dans la mesure du possible, il nous a dit en jetant son chapeau sur le comptoir et en s'asseyant, son calepin ouvert à la main. D'abord, j'en ai quelques-unes moi-même. Si vous n'y voyez pas d'inconvénient, Sensei, je commencerai par vous.

Mr Li a hoché la tête. S'il était nerveux, ça ne se voyait pas.

— Quand a commencé votre cours, monsieur ?

— Huit heures. Après le départ des clients du dîner.

— Tout le monde était-il à l'heure ?

— Tout le monde sauf Mo.

J'ai pris ma place derrière le comptoir, à côté du Colonel et dit :

— J'étais en retard à cause de ma nomination par le docteur. Il peut me faire un mot, si nécessaire.

Je suis montée sur ma caisse de Pepsi pour jeter un œil dans le calepin du policier.

— C'est tous les indices que vous avez ? Pas des masses, on dirait.

Il a éloigné ses notes.

– L'un de vous a-t-il croisé Mr Jesse ce soir ?

Attila a levé la main.

– C'est Attila Céleste, j'ai chuchoté en appuyant mes coudes sur le comptoir. Elle habite dans la crique à côté de chez Mr Jesse. Ses parents la conduisent partout comme une princesse. Si elle ne faisait pas de karaté, on croirait qu'elle n'a pas de pieds.

Il ne m'a même pas regardée.

– Colonel, pouvez-vous vous occuper d'elle, s'il vous plaît ?

– Hé ! j'ai répliqué, mais le Colonel a posé sa main sur la mienne et secoué la tête.

Starr a pris son stylo.

– À quelle heure es-tu passée devant chez Mr Jesse, Miss… ?

– Miss Anna Céleste Simpson, et je suis heureuse de faire votre connaissance, elle a dit en rejetant ses cheveux en arrière. Ma mère et moi sommes passées en voiture devant chez Mr Jesse peu avant quatre heures. Nous sommes venues tôt en ville car nous avions besoin d'aller à Piggly Wiggly, et moi de rafraîchir ma coupe. Contrairement à d'autres, je ne tolère pas les fourches, elle a ajouté en me décochant un coup d'œil mauvais.

– Très bien, a dit Starr. Avez-vous vu quelqu'un à côté de chez Jesse Tatum ?

– Un garçon, peut-être. Vers la crique. Il tirait quelque chose. Je ne l'ai vu qu'à travers les arbres.

Qui sait ce que font les garçons ? Pour moi c'est un mystère.

Mon cœur a tressailli. Elle avait vu Dale rendre le bateau de Mr Jesse, aussi sûr que mon nom est Mo LoBeau. J'ai enfoncé ma main dans ma poche et refermé mes doigts sur ma moitié de la prime de Mr Jesse – de l'argent qu'on lui avait soutiré. J'ai senti une bouffée d'écœurement.

– Pourrais-tu identifier ce garçon ? a demandé Starr.

J'ai essayé de calmer la chamade de mon cœur. Et si Attila se rendait compte qu'elle avait vu Dale chez Mr Jesse juste avant le meurtre ? Et si Starr découvrait que Dale avait fauché le bateau de Mr Jesse ? Dans quel pétrin il serait ? Dans quel pétrin *je* serais ? J'avais besoin de temps pour réfléchir.

Je me suis tournée vers l'inspecteur.

– Tous les garçons se ressemblent pour Anna Céleste, j'ai dit. Elle est folle de garçons.

– *Soldat*, a lâché le Colonel en serrant ses doigts sur mon épaule. *Repos !*

Attila a rougi.

– Je ne suis pas folle de garçons. Tout ce que j'ai vu, c'est des cheveux blonds et un haut sombre. Noir, peut-être, je n'ai pas regardé plus que ça. Je ne savais pas que Mr Jesse était mort.

– Peut-être que c'était Thes, j'ai suggéré.

– C'était pas moi ! a glapi Thes. Je suis roux. Et un haut sombre, ça pourrait être la moitié des garçons d'ici.

Starr a parcouru le café des yeux.

– Est-ce que quelqu'un d'autre l'a vu ?

Skeeter a jeté un coup d'œil à Attila, puis à moi. Je le voyais dans ses yeux : elle savait que c'était Dale. La panique tourbillonnait autour de moi comme un vol de corbeaux s'abattant sur un arbre. J'ai secoué la tête. Elle a hoché la tête si légèrement qu'on aurait cru une respiration. Elle ne dirait rien. En tout cas, pour l'instant.

– Anna, j'aurai besoin de parler à ta mère, a dit Starr.

– Betty Simpson, elle est dans l'annuaire, a dit le Colonel en versant finalement son café. Vous ne croyez quand même pas qu'un gosse a tué Jesse, n'est-ce pas ?

– C'est moi qui pose les questions, a dit Starr sans lever les yeux, et la veine de la tempe du Colonel a tressauté furieusement.

À mon tour, j'ai tapoté la main du Colonel.

– Colonel, est-ce que Jesse Tatum est venu dîner ce soir ?

– Négatif, il a grondé en ramassant un torchon.

– Eh bien, c'est deux fois dommage, a soupiré le maire Little. Le poulet teriyaki du Colonel est une merveille. Et si Jesse était venu dîner, il pourrait ne pas être aussi *passé*. Ô mon Dieu ! mais à quoi je pense ? Vous devez être affamé, inspecteur. Je suis sûr que le Colonel serait heureux de vous concocter un dîner, même si la cuisine est fermée…

Le Colonel a fait semblant d'essuyer une tache sur le comptoir.

— Merci, mais je n'ai pas faim, a fait Starr après un long silence. Est-ce inhabituel pour Mr Jesse de manquer le dîner ? Semblait-il inquiet ces derniers temps ?

— Oh, pour l'amour du ciel, s'est écriée Grand-mère Miss Lacy Thornton en se levant au bout du comptoir, cheveux bleu-blanc luisants et visage poudré. Jesse est comme nous tous. Il mange ici quand il en a envie et reste à la maison quand il en a envie. Et il était tellement spécial que personne ne saurait dire s'il était inquiet ou non. Excusez-moi de dire cela, jeune homme, mais nous avons répondu à vos questions. Il est temps que vous répondiez aux nôtres.

Après un coup d'œil furibond, Starr s'est adouci.

— Oui, madame. Qu'aimeriez-vous savoir ?

— J'ai entendu dire que les frères Tyson ont trouvé le corps de Jesse au pont du Fou. Et…

— Qui vous a dit ça ? a coupé Starr.

— Tout le monde. Tout le bourg en parle.

Starr a soupiré.

— D'accord, il a admis en feuilletant ses notes à l'envers. À votre place, je voudrais aussi des informations. Voilà ce que j'ai. Les frères Tyson ont tiré le bateau de Jesse Tatum de la crique vers dix-huit heures et découvert le corps à l'intérieur. Son portefeuille était dans sa poche, sans argent dedans. Sa mort fait l'objet d'une enquête pour homicide.

— Alors, qui l'a tué ? elle a demandé avec insistance.

— Je ne sais pas encore mais j'ai l'intention de le trouver, a dit Starr en refermant son calepin avec un claquement.

— Excusez-moi, monsieur, a dit Skeeter d'une voix pré-juridique en acier. Ne sommes-nous pas hors de votre juridiction ?

Le Colonel s'est raclé la gorge et a indiqué l'écriteau « INTERDIT AUX AVOCATS ». Mais il s'est tourné vers Starr.

— Sa question est pertinente.

— En principe, ce n'est pas dans ma juridiction mais votre maire m'a demandé d'enquêter et j'ai accepté. Par ailleurs, j'ai l'intuition que cette affaire est liée au meurtre de Winston-Salem sur lequel je travaille déjà. Ça pose un problème à quelqu'un ?

Le Colonel a essuyé une tache sur le comptoir. La salle respirait à peine.

— Non ? Bien. Mon équipe arrive de Winston-Salem dans la matinée. En attendant, évitez les inconnus. Déplacez-vous par deux. Je ne veux voir aucun enfant non accompagné d'un adulte. Des questions ?

J'ai levé la main et Starr a soupiré.

— Mo ?

— On a trouvé Mr Jesse dans un bateau ? Je me demande si par hasard il ne serait pas monté dedans et mort tout seul. Peut-être qu'y a pas de meurtre. Comme les poissons ne mordaient pas, il est mort d'ennui. Ça arrive. L'ennui peut tuer. Je suis passée pas loin moi-même en cours de maths.

— Jesse Tatum n'est pas mort d'ennui, a dit Starr. L'arrière de son crâne… c'est-à-dire, il a subi un traumatisme causé par un objet contondant.

— Sommes-nous en sécurité ? a demandé Grand-mère Miss Lacy Thornton.

L'inspecteur l'a considérée un instant, comme s'il pesait ses mots.

— Barricadez-vous, il a répondu. Puis il s'est tourné vers moi. Où étais-tu ce soir ?

— Moi ? j'ai demandé, surprise. J'étais au circuit automobile. Vous ne m'avez pas vue ? Parce que moi je vous ai vu. Vous avez besoin d'un alibi pour moi, demandez à votre copine. Depuis quand vous la connaissez de toute façon ?

— Sa copine ? a fait Attila en le détaillant des pieds à la tête. Quel genre de copine il peut bien avoir ?

— Devine, j'ai dit. C'est Miss Retzyl.

Elle a trébuché à la renverse.

— Notre Miss Retzyl ?

— Et ce n'est pas tout. Elle portait un short.

– Miss Retzyl ? Un short ?

Starr a fait cliqueter son stylo.

– Elle a effectivement mentionné t'avoir croisée. Tu étais avec ce gamin bizarre. Dale.

J'ai jeté un coup d'œil à Attila. Dale était le dernier nom que je souhaitais entendre chatouiller sa mémoire.

La phrase du Colonel m'est revenue : « La meilleure défense est l'attaque. »

– Alors, inspecteur, qu'avez-vous fait de Miss Retzyl ? En tant que représentants de la sixième, Anna et moi espérons que vous ne l'avez pas jetée en prison ou laissée près d'une crique avec un tueur fou dans les parages. Pas d'accord, Anna ?

Attila a hoché la tête sans conviction.

– Quelles sont vos intentions ? ai-je ajouté. Nous avons le droit de savoir.

Grand-mère Miss Lacy Thornton a levé la main.

– Je me pose aussi la question.

– Votre Miss Retzyl est tout à fait en sécurité, a dit Starr avant de regarder à la ronde. Quelqu'un d'autre a-t-il vu Jesse Tatum ce soir ? Quelqu'un a-t-il vu quoi que ce soit de suspect ?

Puis il s'est dirigé nonchalamment vers le tableau d'informations et y a planté sa carte de visite d'une punaise en plein cœur.

– Appelez-moi si vous pensez à tout élément qui pourrait aider.

— Seigneur, j'espère que vous ne comptez pas sur votre téléphone mobile, inspecteur, a dit le maire Little.

— Pourquoi pas ?

— Il n'y a guère de réseau. Oh, vous recevrez peut-être quelques grésillements ici ou là, mais pas bien longtemps. C'est un des avantages de Port-Tupelo : pas de facture de mobile. Ni non plus de supplément pour connexion internet à grande vitesse, sauf si vous habitez sur la Première rue et que vous êtes câblé. Mais je transmettrai volontiers vos messages téléphoniques, si vous souhaitez utiliser ma ligne fixe. Je suis sûr que Mère n'y verra pas d'inconvénient.

— Nous en reparlerons, a dit Starr d'un air peu convaincu.

Il a jeté un coup d'œil à Grand-mère Miss Lacy Thornton.

— Jesse Tatum a-t-il de la famille ? Quelqu'un que je dois prévenir ?

— Il avait un cousin quelque part dans le Pied-mont, elle a répondu. Un vigile. Il est mort il y a des années.

Starr a arraché l'annonce à propos de la prime et l'a mise dans sa poche.

— Je crois que vous trouverez facile de collaborer avec mon équipe, monsieur le Maire. Merci à vous, Sensei. Tout le monde est libre de partir.

Mr Li s'est incliné et le Colonel a débranché la cafetière.

— Tout le monde dehors, a dit le Colonel. Ne laissez pas les gosses rentrer seuls à la maison.

Je me suis dirigée vers Skeeter.

— J'aimerais prendre rendez-vous, j'ai chuchoté pendant qu'on rangeait nos protections. Demain, aux aurores.

Elle a hoché la tête alors que Mr Li passait à côté de nous.

— Mo, il a dit à voix basse, demain, je vais à Durham. Si tu veux que j'emporte un de tes messages…

— Merci, Mr Li.

J'ai attrapé une bouteille sous le comptoir et il l'a coincée sous son bras.

Starr regardait nos clients payer et s'avancer timidement dans la nuit.

— Encore deux ou trois questions, il a dit alors que le Colonel fermait la caisse enregistreuse. Jesse Tatum avait-il des ennemis ?

— Ici ? j'ai demandé. Vous croyez que le meurtrier vient au café ?

— Les meurtriers connaissent généralement leurs victimes.

Le Colonel a plié son torchon et l'a jeté sur le comptoir en disant :

— Autant que je sache, Jesse Tatum était un vieux dingo inoffensif qui vivait sa vie dans une crique isolée sans famille ni ami. Personne ne l'aimait beaucoup. Mais le tuer ? Pourquoi ? Le temps était le seul ennemi de Jesse, et il le serrait de très près. Tuer Jesse Tatum n'a aucun sens.

– Vous avez tort, a dit Starr. Un meurtre a toujours un sens pour le meurtrier. Au fait, où est Miss Lana ?

– En voyage d'affaires, a dit le Colonel. À Charleston.

Starr s'est rembruni.

– Je vous prie de lui dire que j'aimerais lui parler quand elle sera de retour. Une dernière chose : j'ai vérifié les plaques de cette Thunderbird. Vous avez acheté cette voiture il y a deux semaines, pas deux ans.

Le Colonel a jeté un coup d'œil vers moi.

– Vous avez raison. C'était un mensonge et je m'en excuse. J'aurais dû vous dire la vérité. Qui est que je ne crois pas que la force publique devrait se mêler de la vie des gens. Que je ne crois pas que mes achats soient vos affaires. Que la seule chose aussi dangereuse qu'un avocat arrogant est un agent de police trop zélé. À nouveau, je m'excuse. J'ai acheté cette voiture légalement et j'aurais juste dû le dire. Y a-t-il autre chose ?

J'ai fait un pas pour me rapprocher de lui. Starr nous a dévisagés pendant une froide minute.

– Ne quittez pas la ville, il a lâché.

Puis il m'a fait un signe de tête, il s'est dirigé vers la porte et nous l'avons regardé monter dans son Impala.

– Il va nous causer des ennuis, a dit le Colonel en débranchant le juke-box.

– Oui, chef, j'ai dit en pensant en Dale. À mon avis, il a déjà commencé.

7 – Desperados

Le Colonel et moi marchions pensivement vers la maison – le côté pile du café.

– Je pense installer un éclairage de sécurité par ici, il a marmonné alors qu'on descendait l'allée gravillonnée à travers les cornouillers et les lys de Miss Lana.

– Non, c'est pas vrai, j'ai dit en glissant ma main dans la sienne. C'est *Miss Lana* qui veut un éclairage de sécurité. Tu as dit que tu préférais rôtir en enfer plutôt que de noyer les étoiles.

On a monté d'un pas cadencé les marches usées du perron jusqu'à la véranda.

– Tu n'avais pas laissé ta veilleuse allumée, soldat ?

J'ai avalé ma salive.

– Je laisse toujours ma veilleuse Elvis allumée, chef. C'est une flamme éternelle.

– Reste là, il a fait en me plaquant contre le mur.

Il a poussé ma porte-moustiquaire dont la voix s'est élevée comme un hymne rouillé. D'un geste vif, il a actionné l'interrupteur tout en se ruant à l'intérieur. Il a ouvert d'un coup mon armoire en acajou, s'est jeté à plat ventre pour inspecter le dessous de mon lit puis a bondi dans ma salle de bains.

— La voie est libre ! il a aboyé en rabattant le loquet de mes volets.

Il a pris ma veilleuse et tapoté la tête d'Elvis.

— Surchauffe, il a marmonné en la reposant. Pas étonnant pour une tête brûlée…

Il m'a fait signe d'entrer et a verrouillé ma porte de véranda derrière moi.

Alors qu'il vérifiait qu'il n'y avait pas d'intrus dans le salon, mon regard s'est porté vers la photo de Miss Lana et moi quand j'étais bébé. Elle y est assise sur une pelouse parfaite, sa robe étalée autour d'elle comme une ombrelle tandis que je lui offre une fleur de pissenlit. Elle est jeune et belle, et je suis potelée et adorable.

Le Colonel a verrouillé la porte d'entrée. Sa chemise sentait l'ail.

— Une bonne chose que Lana ne soit pas là. Elle aimait beaucoup Jesse. Tu as peur, soldat ?

Oui, j'*avais* peur, mais pas pour la raison qu'il croyait. J'ai glissé la main dans ma poche, vers l'argent de la récompense, et j'ai eu le tournis. Si Attila Céleste se rappelait qui elle avait vu à côté de chez Mr Jesse, ou si Skeeter bavardait, Dale

107

pourrait avoir des ennuis. De gros ennuis. Il fallait que je le prévienne.

– Je n'ai pas peur, j'ai menti. Et toi ?

– Un peu, a dit le Colonel.

J'ai hésité en fixant le fond de ma chambre obscure.

– Moi aussi. Je peux laisser la porte de ma chambre ouverte, si tu préfères. Comme ça, je peux t'entendre si tu as besoin de moi.

J'ai aperçu l'éclat d'un sourire dans ses yeux sombres.

– Ça pourrait me rassurer, il a répondu. Peut-être que je dormirai sur le canapé. Comme ça, tu me trouveras plus facilement si j'appelle.

– Excellent, chef, j'ai dit en le serrant dans mes bras.

J'ai enfilé ma tenue de nuit : un pantalon de karaté noir et un vieux t-shirt. J'ai pensé appeler Miss Lana. Je voulais qu'elle rentre à la maison. Maintenant. D'un autre côté, je ne voulais pas lui parler de Mr Jesse. Alors, j'ai pris un stylo et le Tome 6 :

Chère Mère d'Amont,
Mr Jesse est mort. Même le Colonel a peur.
J'aimerais que tu sois là. On pourrait faire du thé et parler de Joe Starr et de Dale et de ce pauvre Mr Jesse qui est mort. On imaginerait un plan et tu serais assise là à faire des mots croisés jusqu'à ce que je m'endorme. Tout serait normal pour moi.

Parfois, je souhaite que Miss Lana et le Colonel soient normaux mais Lavender dit que normal est un terme relatif. « D'accord, j'ai dit, qu'est-ce que ça veut dire exactement ? » Il a répondu : « Ça veut dire que tu crois que ta famille est normale jusqu'à ce que tu remarques qu'elle ne l'est pas. »

Je l'ai même mentionné une fois à Miss Lana, dehors, dans le jardin. « J'aimerais avoir une famille normale », j'ai dit sans y penser, en arrachant une poignée de mauvaises herbes.

« Normal veut dire ordinaire, Mo. Il y a assez de barbants comme ça sur cette terre. »

« Je ne veux pas dire barbante, je veux dire normale, j'ai insisté. Tu sais, des parents qui vont à un boulot ordinaire, qui rentrent le soir à une vraie maison, qui m'emmènent peut-être à des matchs de foot. J'aimerais que le Colonel soit peut-être dentiste, comme le père d'Anna Céleste. »

Elle a levé les yeux de ses iris. « Tu veux que le Colonel mette ses mains dans la bouche des autres ? » elle a dit, comme si j'avais suggéré qu'il enfonce sa tête dans la gueule d'un lion.

« C'est juste un exemple. Je dis juste que nous pourrions être comme des gens qui vivent au bout d'une impasse, dans un joli lotissement. Juste pour essayer, pour voir si ça nous convient. »

Elle s'est assise sur ses talons, la figure maculée de terre. « Je suppose qu'on pourrait habiter dans une impasse, si tu y tiens vraiment, mon chou, mais pense à ça : Si le Colonel et moi étions les parents d'Anna Céleste, tu serais Anna Céleste. Je t'aimerais toujours, mais je ne t'apprécierais pas autant. »

« C'est vrai, j'ai soupiré. Être Anna Céleste serait un inconvénient majeur. »

L'univers de Miss Lana a son orbite particulière mais je dois dire que c'est une orbite qui me manque.

S'il te plaît, viens me trouver.

Baisers,

Mo

À l'instant où j'ai entendu tambouriner l'eau dans la douche du Colonel, j'ai fermé mon cahier et appelé Dale. Son « allô » m'est parvenu assourdi au milieu de cris. Je l'ai pressé de questions :

– Hé ! qu'est-ce qui se passe ? Pourquoi Miss Rose crie si fort ? Starr est là ?

– Y a rien qui se passe, il a dit. Papa s'est réveillé mauvais comme un serpent, c'est tout, et Lavender est parti furieux. Pourquoi Starr serait ici ?

– Il enquête sur le meurtre de Jesse, j'ai dit pour enchaîner sur mes mauvaises nouvelles.

– Et alors ?

– Et alors, tu ne devineras jamais qui est le suspect numéro un.

– Qui ? a bâillé Dale.

– Toi.

– QUOI ?

– Toute la ville en parle. Attila Céleste t'a vu avec le bateau de Mr Jesse cet après-midi, mais sans donner ton nom. Pas encore. Ne dis rien qui t'incrimine, ma ligne est peut-être sur écoutes. Ne sors pas jusqu'à nouvel ordre.

J'ai raccroché alors que le Colonel frappait à ma porte.

– Ventilateur, soldat, il a dit en posant un lourd ventilateur noir sur mon bureau et en l'allumant. N'ont pas fait de machine aussi élégante depuis la dernière guerre. Désolé que Miss Lana ne soit pas là pour te réconforter, mais peut-être que le murmure de la brise va aider.

– Bel engin, je lui ai dit.

Son pied en forme de cœur reposait sur un tapis en feutre vert et ses lames en métal se recourbaient gracieusement, comme des ailes d'ange. Son bourdonnement allait et venait, patient, envoyant une douce brise à travers mes rideaux et mes draps froissés.

– Bonne nuit, soldat, a dit le Colonel en posant sa main sur mon front.

Et il s'est éclipsé de la chambre en laissant notre porte soigneusement entrouverte.

Bong !

Le bruit m'a saisie par la peau du cou et secouée comme un chaton, me réveillant d'un profond sommeil.

Qu'est-ce que c'était que ça ? Un tueur sous la véranda ?

Crac.

Une ligne téléphonique coupée ?

Pof.

Ça venait de la fenêtre !

Respire, je me suis ordonné, respire.

Clac-clac-clac.

J'ai plissé les yeux pour lire mon réveil. Trois heures du matin… Déjà ?

J'ai attrapé ma batte de base-ball et gagné la fenêtre sur la pointe des pieds.

Les buissons s'agitaient follement.

Tap-tap-tap.

– Mo, a fait le tueur d'une voix rauque. C'est moi. Ouvre.

J'ai écarté les rideaux avec ma batte. Dale était suspendu contre le mur, le menton sur le rebord de ma fenêtre, les articulations blanchies et le visage déformé par l'effort.

– Ouvre… la… porte, il a haleté alors qu'il lâchait prise et tombait dans les gardénias de Miss Lana.

J'ai allumé ma lampe, j'ai marché à grands pas jusqu'à la porte de la véranda et poussé le verrou. Dale s'est rué à l'intérieur, affolé. Il a crié en me dépassant dans son élan :

– Qu'est-ce que je vais faire ? On va me juger comme un adulte. Je le sais. Je vais prendre au moins vingt ans. J'aurai…

Son regard s'est vidé tandis qu'il essayait de calculer.

— Trente et un ans ? j'ai tenté en verrouillant la porte derrière lui.

— *Trente et un*, il a gémi en s'affalant par terre. C'est presque mort.

— Calme-toi, je lui ai dit. Attila Céleste ne se souvient que d'un garçon blond avec un haut sombre, peut-être noir. Elle n'a pas dit que c'était toi.

— Un haut noir ? Qu'est-ce que je vais faire ? Tout le monde sait que je suis encore en deuil après l'accident de Daytona.

Il a pris la couture de son t-shirt à la mémoire de Dale Earnhardt et l'a tiré brusquement par-dessus sa tête en se tournant pour cacher les traces rouges zébrant son torse.

Je croyais que Dale était maladroit. Puis j'ai réalisé qu'il ne le devenait que lorsque Mr Macon s'était soûlé.

— Je n'ai que du noir, il a dit.

J'ai pris un t-shirt blanc sur ma chaise et le lui ai lancé. Il a marmonné « merci » en l'enfilant.

— Mo, je jure que je n'ai pas tué Mr Jesse.

— Bien sûr que non, j'ai dit en m'asseyant en tailleur sur le lit.

— Qu'est-ce que je vais faire ? Tu es la plus maligne. Trouve quelque chose.

J'ai inspiré profondément.

— Calme-toi. On va penser à deux, comme en classe de sciences avec Miss Retzyl.

Il s'est installé dans mon rocking-chair, celui dans lequel Miss Lana me berçait pour m'endormir quand j'étais bébé.

– Comme en sciences ? il a gémi. Je suis fini.

– Rappelle-toi ce qu'elle nous a dit. Définir le problème, puis le résoudre.

– D'accord. Alors le problème, c'est… la chaise électrique ?

Dale devient crétin quand il a peur. C'est plus fort que lui.

J'ai secoué la tête en pianotant sur mon genou avec mes doigts.

– Le problème, c'est que Starr est parti sur la mauvaise piste et que tu te trouves au bout. On pourrait raconter l'histoire du bateau de Mr Jesse au Colonel ou à Miss Rose ? Ils pourraient parler à Starr ?

– Non. Starr n'a pas confiance dans le Colonel et Mama me tuerait. (C'était vrai.) Peut-être que Starr va trouver le vrai meurtrier et me tirer de là.

– Possible mais peu probable. D'après le Colonel, les flics ne pigent pas grand-chose à quoi que ce soit. Je cite.

Il a froncé les sourcils.

– Alors comment ça se fait que la moitié de ma famille est en taule ?

J'ai laissé passer cette remarque et conclu :

– On n'a plus qu'une option, alors : c'est nous qui allons trouver le meurtrier de Mr Jesse.

– Sûr… Genre, on est plus futés que l'inspecteur Starr. C'est dément, Mo. Je suis condamné.

– C'est pas dément et t'es pas condamné. T'es désespéré, c'est tout. Et, comme dit Miss Lana, le désespoir est la mère de l'invention.

Il m'a dévisagée, pensif.

– Et qui est le papa ?

Si Dale se met un jour à raisonner en ligne droite, ce sera un génie.

– On s'appellera l'Agence des Détectives Desperados, j'ai continué. J'ai déjà l'affaire de ma Mère d'Amont en route. Nous y ajouterons le meurtre de Mr Jesse. S'il y a une récompense à la clé, on louera un bureau. En attendant, on s'installera au café.

– Les Détectives Desperados, a répété Dale en hochant la tête. J'aime bien.

J'ai pris le Tome 6 et un vieux crayon publicitaire sur ma table de nuit.

– Il nous faut des indices, j'ai dit. Que savons-nous de Mr Jesse ?

– Il est mort, a répondu Dale du tac au tac.

Quel sens de l'évidence !

– Dernière personne à l'avoir vu vivant ?

– Le meurtrier.

– Et avant ça ?

– Oh…, ce serait moi. Sauf que…

Dale a blêmi.

– Tu ne te sens pas bien ?

— La fenêtre ! il a chuchoté, sans la quitter des yeux.

Les poils de mes bras se sont hérissés. J'ai coulé un regard de son visage terrifié vers la fenêtre et les yeux de glace d'un inconnu.

J'ai hurlé. Dale a hurlé.

J'ai saisi ma boule de neige de Charleston et l'ai lancée vers le carreau. L'homme – figure ronde, chauve – a sauté en arrière alors que la boule rebondissait sur le mur. J'ai bondi sur mes pieds au milieu de mon lit et me suis mise en position de combat de karaté.

— Dale ! j'ai crié. Viens là !

— Pourquoi ? il a braillé en me rejoignant.

— On tombera en combattant.

— Pas moi ! il a dit en reculant.

Dale m'exaspère à en pleurer. Il déteste se battre. Je suppose que c'est à cause de son papa. Heureusement que la plupart du temps, je suis bagarreuse pour deux.

— En position ! j'ai crié.

Il a levé les poings, l'air ballot et terrifié.

J'ai jeté un coup d'œil par la fenêtre. Rien. Le vent bruissait et les gardénias de Miss Lana balayaient la vitre.

— Où est le Colonel ? a demandé Dale d'une voix tremblante.

— Il dort sur le canapé, j'ai dit avec un coup d'œil à la porte que le Colonel avait laissée ouverte.

Mais elle était refermée.

— COLONEL, j'ai hurlé. À L'AIDE !

Silence. J'ai saisi le bras de Dale.

— Tu penses ce que je pense ?

— Probablement pas, il a dit en se dégageant. Ça arrive rarement.

— Le Colonel doit être blessé. Ou mort. Allons au salon.

— Tu vois, c'est pas du tout ce que je pensais. Moi, je me dis : « Fuyons » !

— Il a besoin de nous, j'ai dit en sautant au bas du lit.

J'ai attrapé ma batte de base-ball et ouvert la porte.

— Le voilà, j'ai chuchoté en indiquant la forme allongée, comme morte, dans la pénombre sur le canapé. Colonel ?

J'ai tendu le bras vers l'interrupteur.

— Non, a chuchoté Dale en écartant ma main. Avec un tueur à l'extérieur, mieux vaut rester dans le noir. Tout le monde sait ça.

— Colonel ?

Ma bouche était sèche comme le Sahara.

— Réveille-le, j'ai chuchoté.

— Moi ? s'est étranglé Dale. J'sais pas faire avec les morts. Fais-le, toi. Avec la batte.

Je me suis approchée en silence, les tempes battantes. J'ai levé la batte et l'ai fait rebondir sur le bras du sofa. Comme sous l'effet d'une décharge électrique, le corps s'est retourné face à nous, la

117

lumière de la lune jouant sur ses pommettes, ses sourcils dessinés au trait, une bouche grande ouverte dans un visage blanc crémeux.

– Un clown ! a braillé Dale.

Il a couru tout droit dans un mur et s'est effondré par terre.

– Lève-toi ! j'ai crié alors que le corps pivotait et pointait le doigt vers nous.

– Dale Earnhardt Johnson III, lève-toi immédiatement de ce plancher. Moïse LoBeau, lâche cette batte. Tous les deux, calmez-vous ! Vous faites un raffut à réveiller les morts !

– Miss Lana ? j'ai fait d'une voix étranglée.

– Oui, chérie ?

Elle a glissé la main sous son oreiller, en a retiré un léger foulard gris et, d'un geste vif, l'a noué sur sa tête. Elle a allumé la lampe, repoussé ses mèches rousses sous son foulard, et a ronchonné d'un ton amusé :

– Maudits bigoudis. Ce que je ne ferais pas pour vous plaire, à vous autres. Et vous n'avez même pas l'air d'être contents de me voir.

– Miss Lana ! j'ai crié en me précipitant dans ses bras parfumés à la crème camphrée. Il y a un tueur à ma fenêtre ! Le ciel soit loué, tu es rentrée !

8 – Miss Lana

— **M**o, pour l'amour du ciel, a dit Miss Lana en m'étreignant très fort. Qu'est-ce qui ne va pas ?

— Où est le Colonel ?

Je me suis dégagée pour foncer à travers le salon et ouvrir d'un coup la porte de ses quartiers.

— Colonel ?

Sa penderie était ouverte, ses chemises exactement à huit centimètres d'écart le long de la tringle, ses chaussures au garde-à-vous au-dessous. De ternes couvertures kaki couvraient sa couchette vide, soigneusement tirées.

— Où est-il ?

— Parti, elle a dit en se tapotant le visage de cold-cream. À nouveau.

— *Maintenant ?* j'ai fait, le souffle coupé. Parti où ?

— Je ne suis pas sûre. J'étais à peine arrivée qu'il s'est précipité dehors en marmonnant une histoire d'attaque, de défense et de repousser le front vers l'ennemi. Cet homme me tape tellement sur les nerfs que je n'entends pas la moitié de ce qu'il dit. Parfois je vois à peine ses lèvres remuer.

— Miss Lana, il y a un homme à ma fenêtre.

— Je l'ai vu aussi, a renchéri Dale.

— Vous êtes sérieux ? elle a dit dans un souffle.

Elle a enfilé sa robe de chambre d'un coup d'épaule tout en se précipitant dans ma chambre. Elle a vérifié mon verrou puis a couru à travers la maison pour vérifier les portes et les fenêtres, Dale et moi sur ses talons comme des chiots.

— Tout est sécurisé, a dit Miss Lana en prenant le téléphone. Mieux vaut prévenir que guérir.

— Qui appelez-vous ? a demandé Dale. Pas Starr, j'espère, il m'a chuchoté.

— Tinks Williams, elle a répondu. Nous avons un accord. J'espère juste… Allô ? Tinks ? C'est Lana. Je suis désolée de vous réveiller mais nous avons vu quelqu'un à notre fenêtre et je me demande si vous pourriez… Merci, mon cher. Oui, je promets de ne pas tirer.

C'est une autre rumeur que le Colonel a lancée : que Miss Lana sait tirer.

— Il est en chemin, elle a dit en se dirigeant vers une grosse valise à la porte d'entrée.

— Dale ? elle a demandé en glissant sa main dans la poignée. Tu peux m'aider ? Mo, prends ma vali-sette et mon vanity case. Nous allons défaire mes

120

bagages dans ma suite pendant que nous attendons. Puis je ferai du chocolat chaud.

Dale s'est appuyé contre son côté de la valise, tricotant des jambes en la poussant à travers le salon jusqu'à la porte de Miss Lana. Elle a allumé une lampe, répandant une douce lumière à travers la vaste chambre donnant sur la crique. J'ai balancé sa valisette sur le banc à côté de sa commode.

– Le ciel soit loué, Cher est bonne voyageuse, elle a dit en extrayant sa perruque noire brillante de son sac.

Elle a ouvert son placard. Sur l'étagère trônaient quatre têtes de mannequins d'un blanc brut, l'une d'elles coiffée d'une perruque de Marilyn Monroe.

– Peux-tu m'attraper Ava Gardner et Jean Harlow, mon chou ? elle a demandé.

J'ai passé les perruques à Miss Lana, complétant sa collection « Hollywood à travers les âges ».

Miss Lana a un grand sens théâtral.

Elle a jeté à Dale un regard perplexe.

– Dale, je suis contente de te voir mais puis-je te demander ce que tu fais dans la chambre de Mo à trois heures quarante-cinq du matin ?

– Rien, il a répondu d'un air fuyant. Malgré ce que vous pensez, je suis innocent.

Comme je l'ai sans doute déjà mentionné, Dale ne réfléchit pas très bien dans le feu de l'action.

– Dale vient d'arriver, j'ai dit rapidement. Nous avons lancé une petite société – l'Agence des

Détectives Desperados. Dale est venu ici trier les indices. Comme l'école est finie, on a pensé que ça ne posait pas de problème. En plus, cela correspond à notre éthique de travail. (J'ai changé d'angle de défense.) Je suis désolée que le Colonel et toi vous soyez disputés. Et tu m'as manqué, Miss Lana.

Elle m'a embrassé le visage – ses baisers sont doux comme des pétales de rose.

– Tu m'as manqué aussi, mon chou. Mais, je te rappelle que ton couvre-feu d'été est à vingt heures précises. Et le Colonel et moi n'avons pas exactement eu une dispute.

Elle a soupiré avant de continuer :

– Qu'est-ce qu'il a dans la *peau*, cet homme ?

Dale s'est assis en équilibre au bord de son lit.

– Qu'est-ce que le Colonel a dans la peau ? a-t-il répété. Ça, c'est une colle.

Dale tombe toujours dans le piège des questions rhétoriques, surtout celles de Miss Lana.

– Dale, j'ai dit sèchement. Nous avons déjà travaillé ça.

– Oh, il a fait, l'air piteux. Rhétorique ?

J'ai approuvé du chef et jeté un coup d'œil dehors.

– Où est Tinks ?

– Il va arriver, mon chou, a dit Miss Lana, en fixant sa commode. Où sont mes brosses à cheveux ?

Dale m'a regardée

– Question rhétorique ? il m'a demandé tout bas.

– Non, j'ai répondu en pointant le doigt en direction du vanity case.

Tandis que Dale fouillait dans son bagage, Miss Lana continuait de babiller – une manie nerveuse chez elle.

– Tu dormais comme un bébé quand j'ai fermé ta porte. Le Colonel m'a demandé de dormir sur le canapé, au cas où tu aurais besoin de moi.

Cela expliquait pourquoi personne n'était venu quand on avait hurlé : Miss Lana dort comme un sac de ciment.

– Il n'a pas mentionné que tu m'attaquerais avec une batte, elle a ajouté.

– Je suis désolée, je croyais que tu étais morte, j'ai expliqué. Miss Lana, est-ce que le Colonel a pris l'Underbird ?

– Non, il l'a laissée ici. Pour moi.

– Pourquoi ? Tu ne sais pas conduire.

Son sourire s'est effacé.

Miss Lana est la seule adulte du comté qui ne sache pas conduire. Ou peut-être de la terre entière. C'est pour moi une contrariété depuis le jour où ma maîtresse de CE2 lui a demandé de participer au transport en voiture de ma classe. On allait en sortie à l'Aquarium, près de Morehead. Les mères normales conduisaient. Miss Lana a emprunté la Buick de Grand-mère Miss Lacy Thornton et engagé un chauffeur – Tinks Williams, en costume du dimanche bleu marine.

– Alors, le Colonel est à pied, j'ai dit. Sur la piste du tueur, peut-être.

Miss Lana a froncé les sourcils.

– Sur la piste du tueur ? Mais j'espère bien que Jesse a été arrêté. N'est-ce pas ?

Mr Jesse ? Arrêté ?

– Miss Lana, j'ai dit, qu'est-ce que le Colonel t'a dit exactement à propos de Mr Jesse ?

Elle a fait voler un chapeau à large bord en direction de son placard.

– En fait, il a laissé un message au cousin Gédéon – qui t'embrasse, d'ailleurs. Gédéon a dit que Jesse était impliqué dans un meurtre et que tu avais besoin de moi. J'ai sauté dans le premier car pour la maison. Le Colonel n'a pas dit qui Jesse a tué mais je parie que c'est cette beauté grassouillette qui lui rend visite tous les mardis. Ou son mari jaloux. (Elle m'a regardée.) Selma Foster, de Kinston, c'est ça ? La petite amie de Jesse... Toute la ville doit en parler à présent.

Mr Jesse avait une petite amie ? J'ai fixé Dale, stupéfaite.

– Dégoûtant, a dit Dale. Le seul problème, c'est que Mr Jesse n'est pas le... hum...

Il s'est interrompu, la panique s'étalant sur son visage comme du beurre sur un toast.

J'ai soupiré.

– Mr Jesse n'est pas le tueur, Miss Lana. Il est le *tué*. Il est probablement à Greenville à l'heure qu'il est, pour se faire autopsier. Ou funéraliser.

– Quelqu'un a tué Jesse ? elle s'est exclamée, tout à coup livide. Pourquoi ?

– On ne sait pas encore, j'ai dit alors qu'une voiture entrait dans le parking.

Miss Lana a écarté le rideau. Deux faisceaux de phares ont illuminé notre allée.

– Bien. Tinks a amené quelqu'un avec lui. Restez là, tous les deux. Je vais leur parler. Ensuite vous pourrez me raconter les détails du… de ce qui est arrivé à Jesse.

Pendant une demi-heure, Tinks et Sam ont inondé notre jardin de lumière et cherché des empreintes. Rien.

Après leur départ, Dale et moi avons tout raconté : l'emprunt du bateau de Mr Jesse, la récompense, le meurtre, l'Underbird et l'inspecteur Joe Starr.

– C'était peut-être le tueur à ma fenêtre. Il ne faudrait pas appeler Joe Starr ?

Elle a secoué la tête.

– Starr n'a pas besoin de savoir que le Colonel est parti. En plus, Tinks a cherché des empreintes et n'a rien trouvé. Je ne sais pas ce qu'on peut faire d'autre.

Elle s'est étirée, a tapoté ses bigoudis et s'est mise à dérouler ses boucles. Sa chevelure avait l'air chaude et ensommeillée, comme du cuivre au coucher du soleil.

— Mo, elle a repris, quelqu'un a-t-il mentionné une cérémonie à la mémoire de Jesse ?

— Non, m'dame. Mr Jesse n'allait pas à l'église et n'avait pas de famille. Enfin, il avait un cousin mais il est mort. Je suppose que tu étais sa seule amie. On dirait qu'il était tout seul dans la vie – et qu'il le restera pour l'éternité.

— Personne n'est jamais seul dans l'éternité, Mo. Si personne d'autre ne se propose, nous ferons une cérémonie au café.

— Un enterrement ? Tu crois que les gens viendront ?

— Un meurtre fait toujours salle comble. Tout le monde viendra – y compris, sans doute, le meurtrier. Espérons qu'après ça, Joe Starr aura l'obligeance de laisser le Colonel tranquille. Il ne peut pas non plus sérieusement considérer Dale comme suspect mais tu ferais mieux de parler avec Skeeter, ce matin, avant qu'elle ne mentionne ses soupçons à Starr.

— Oui, m'dame. J'ai déjà rendez-vous avec elle et j'ai un plan.

— Formidable, a dit Miss Lana en regardant sa montre. Allez, tous les deux, il faut dormir. Dale, tu es le bienvenu dans la couchette du Colonel.

Je l'ai serrée dans mes bras, ma tête s'imbriquant parfaitement sous son menton. Son cœur, qui battait fort et sûrement, a calmé le mien.

– Merci d'être rentrée si vite, j'ai dit.

– Je rentrerai toujours pour toi, Mo. Tu le sais.

– Oui, m'dame.

Et je suis partie me coucher, laissant ma porte entrouverte au cas où elle aurait besoin de moi.

Chère Mère d'Amont,

Comment vas-tu ? Moi je vais bien sauf que le meurtrier de Mr Jesse court toujours et que le Colonel est parti à sa poursuite comme un ninja névrosé. Si tu vois le Colonel, s'il te plaît, dis-lui de m'appeler pour que je sache qu'il va bien.

Nous organisons une cérémonie pour l'enterrement de Mr Jesse. Tu es invitée. Je t'y chercherai, comme je te cherche partout. La semaine dernière, à Kinston, une femme m'a fixée quand je l'ai regardée et je me suis dit que c'était peut-être toi.

Cette nuit-là, j'ai encore fait mon vieux rêve.

Dedans, je me tiens debout au bord de la crique. Tandis que je regarde de l'autre côté de l'eau noire, un éclair attire mon attention. Une bouteille flotte de biais dans l'eau, son bouchon brillant au soleil. « Enfin », dit mon cœur. Je plonge dans la crique et la récupère. Je l'ouvre et regarde à l'intérieur : il y a un bout de papier roulé dedans. Je sais que c'est un message de toi.

Je secoue la bouteille pour sortir le message et le déroule, alors que l'eau lèche mes genoux. Mais les mots se brouillent et je me réveille avant de pouvoir le lire.

Les chances sont minces, je le sais, mais ça pourrait quand même se réaliser.

Baisers,

Mo

P.-S. : Est-ce que tu as des cheveux comme les miens ? Si oui, toutes mes condoléances.

9 – Le réseau
de renseignements des cousins

L'humidité montait de notre crique d'eau noire assoupie quand, à peine quelques heures plus tard, Dale et moi pédalions devant Piggly Wiggly et laissions tomber nos vélos sur la pelouse de Skeeter McMillan. J'ai assagi mes cheveux – que la chaleur avait rendus incontrôlables – et frappé à la porte ouverte.

– Salut, Skeeter.

– Hé ! elle a répondu en levant les yeux de son bouquin de droit.

Skeeter a ouvert l'été dernier son Bureau préjudiciaire ici, dans l'arrière-boutique du salon de coiffure de sa maman. Il est agréable, sauf l'odeur de laque.

– Je vous attendais, elle a dit en indiquant deux chaises de jardin d'un hochement de tête. Laissez-moi pour commencer vous assurer que tout ce que vous direz ici restera confidentiel.

J'y compte bien, j'ai pensé en moi-même.

— Dale et moi aimerions faire appel à tes services, j'ai annoncé pendant qu'on s'asseyait.

C'est alors qu'une fillette brune et maigre est apparue à la porte.

— Je crois que vous connaissez ma partenaire et future comptable, Sally Amanda Jones, a dit Skeeter.

— Hé ! Salamandre. Tu as grandi, a dit Dale, et Sal a rougi.

Sal, la plus petite élève de notre classe, est faite comme un tube de rouge à lèvres. Elle porte des habits plissés stratégiquement et se boucle les cheveux pour leur donner une illusion de forme. Elle a aussi une machine à calculer dans la tête et un amour pour Dale prêt à devenir grandiose s'il s'en aperçoit un jour.

— En plus des services de base, a repris Skeeter, nous proposons un accès illimité à notre Réseau de renseignements des cousins.

J'ai opiné du chef. À elles deux, Skeeter et Sal sont parentes avec la moitié du comté. Peut-être même de l'État entier.

Sal a sautillé jusqu'au bureau et lissé sa jupe. Elle a dit, très professionnelle :

— Allons droit au but. En liquide ou en nature ?

Dale s'est redressé tout droit.

— En nature. J'ai une lampe à lave vintage de famille datant des années 1980.

Elle a plissé le nez et secoué la tête, faisant scintiller ses boucles serrées.

– Plus une veilleuse Elvis, j'ai ajouté.

Elle a frissonné d'horreur.

Dale s'est tortillé sur son siège et l'a regardée dans les yeux. Il avait emprunté mon t-shirt marine, qui rendait ses yeux bleus comme un ciel de juillet.

– Un modèle original *en métal* de la première voiture de course de Dale Earnhardt, il a soufflé. Qui vaut soixante-dix dollars, facile.

Sal a fait tomber l'agrafeuse par terre.

– Marché conclu, elle a dit d'une voix sourde.

J'ai déchiré une page de mon cahier.

– Parfait. Nous avons besoin de l'historique des personnes suivantes : Selma et Albert Foster, de Kinston. Des amis de Mr Jesse.

– Mon cousin relève les compteurs électriques à Kinston, a dit Skeeter en prenant la feuille. Je vais voir ce que je peux faire. Et pour nous mettre au courant de l'affaire ?

– Confidentialité garantie ? j'ai demandé.

Elles ont toutes les deux hoché la tête.

– OK. Dale est le garçon qu'Anna Céleste a vu le jour du meurtre. Il avait emprunté le bateau de Mr Jesse et le rapportait contre l'argent de la récompense. Dale ? Tu as quelque chose à ajouter ?

– Je suis innocent, il s'est exclamé d'une voix étranglée en fixant Sal et Skeeter. Je n'ai pas tué Mr Jesse.

— Nous te croyons, a dit Sal.

Skeeter a caché un sourire.

— Vous deux ne m'avez rien appris. J'avais déjà deviné.

— OK, j'ai repris. Dale et moi voulons que ça *reste* totalement confidentiel jusqu'à ce que le nom de Dale soit lavé de tout soupçon. Ce qui devrait arriver bientôt. Parce qu'on est passés professionnels.

— Des détectives, a dit Dale modestement en tendant sa carte à Sal.

Elle a lu tout haut la carte écrite à la main :

— *« Détectives Desperados. Meurtres résolus pour pas cher. Animaux perdus retrouvés gratis. Dale, Responsable des Animaux perdus. »* Impressionnant, elle a conclu.

Il a souri.

— J'aimerais la récupérer quand tu auras fini avec. Nous venons d'ouvrir ce matin et je n'ai eu le temps d'en faire qu'une.

Sal lui a rendu sa carte. Puis elle s'est tapoté le menton, comme elle le fait d'habitude face à un problème de maths niveau diabolique.

— Et pour Anna Céleste ?

— Quoi, Anna Céleste ? a demandé Dale.

— Elle sait.

J'ai eu un creux à l'estomac comme si j'étais sur une grande roue.

— Elle m'a appelée hier soir à propos de sa fête, a expliqué Sal en aérant un frou-frou de sa robe. Tu y vas, Dale ? Moi oui.

Regard vitreux de Dale.

— Une fête ? Quelle fête ? il a répondu. Et qu'est-ce que tu veux dire par « Anna sait » ? Elle va me dénoncer ?

— Je ne crois pas. Elle n'a pas dit ça. C'est plutôt que, pour l'instant, elle fait comme si elle avait oublié.

Sal avait raison. Attila n'aurait pas partagé cette information, pour la même raison qu'un tueur à gages ne partage pas ses balles. Dale a fermé les yeux. Je savais qu'il se voyait déjà en combinaison orange de détenu et essayait de ne pas pleurer.

— Sal, j'ai dit, pourrais-tu la rappeler et peut-être lui demander de garder ça pour elle jusqu'à…

— Non, je ne demande jamais rien à Anna Céleste. Ni à ses parents. Code familial.

Sal est ce qu'on appelle une « parente pauvre » d'Anna, ce qui veut dire qu'elle est invitée aux fêtes d'Attila mais pas aux leçons d'équitation. Le père de Sal remplit les rayons de Piggly Wiggly et sa mère reste à la maison avec le petit frère de Sal, un vrai chien méchant. Ils n'ont pas de sous mais Sal arrive quand même à s'habiller comme une affiche de mode.

— Merci pour les mises en garde, je lui ai dit.

J'ai mis Dale sur ses pieds.

— T'inquiète pas, Desperado, on va trouver une solution. Sal ? Skeeter ? On reste en contact. Maintenant, il faut qu'on aille au café avant que Miss Lana soit submergée.

Le coup de feu du petit déjeuner commençait juste à se calmer quand on a finalement pu coller notre affichette derrière la caisse enregistreuse :

Détectives Desperados
Meurtres résolus pour pas cher.
Animaux perdus retrouvés gratis.

— Tu t'en sors bien, j'ai chuchoté à Dale. Reste calme et aie l'air innocent. Et garde tes distances avec Attila et Joe Starr.

Alors qu'il se dirigeait vers la cuisine, Grand-mère Miss Lacy Thornton est entrée en traînant une couronne funéraire. Elle a pris place au comptoir, balançant la couronne sur le tabouret d'à côté.

— Bonjour, ma chérie, elle a dit. Il paraît que Lana est rentrée. Je suis contente.

— Oui, m'dame. Elle a préparé un p'tit déj spécial pancakes. Jolie couronne, j'ai ajouté en faisant glisser un verre d'eau à travers le comptoir. C'est pour Mr Jesse ?

— Seigneur, non. Elle est pour moi. Aujourd'hui, je vais à Tarboro voir ma concession au cimetière. Elle est payée d'avance, tu sais.

— Félicitations. Voulez-vous du bacon avec vos pancakes ?

— Non, merci, elle a dit en rajustant le nœud de la couronne. Ça te dirait de venir avec moi ? C'est un joli cimetière. Nous pourrions en faire une excursion pour la journée.

– En temps normal j'aurais accepté, mais j'ai du travail de détective en cours.

Elle a jeté un coup d'œil à notre affichette.

– Formidable. Puis-je alors jeter une bouteille pour toi ? Le cimetière donne pratiquement sur la rivière Tar.

J'ai plongé la main sous le comptoir et choisi une bouteille de vinaigre avec mon message standard pour ma Mère d'Amont à l'intérieur.

– Merci. Et si vous pensez à un indice pour notre affaire, ne nous oubliez pas. Il peut y avoir une récompense à la clé.

Elle a mis la bouteille dans son sac.

– Tu seras la première informée, ma chérie.

Thes a collé son ventre au comptoir, accompagné de son père, le révérend Thompson.

– Vous avez vu le temps ? On a un orage en formation dans les tropiques.

– Il y a toujours un orage en formation dans les tropiques, a rétorqué sèchement Attila en prenant une table à côté de la fenêtre. Je prendrai deux œufs pochés et un soda sans sucre, Mo. Et je suis pressée. Je vais chercher mes décorations de fête, aujourd'hui.

Elle a fait onduler ses cheveux et s'est assise, laissant ma non-invitation en l'air comme un pet de putois.

– Sois gentille avec elle, a sifflé Dale de quelque part vers mes pieds.

135

Je l'ai fixée avec hauteur, essayant de la foudroyer d'un Chi de la Mort karatéka. Elle a souri et déplié sa serviette sur ses genoux. J'ai soupiré.

— J'arrive, Anna.

Quelques instants plus tard, Miss Lana passait la porte de la cuisine.

— Chers amis, elle a commencé. Mo et moi organisons dimanche soir une cérémonie à la mémoire de Jesse Tatum, ici, au café. Vous êtes tous conviés. Merci de faire passer le mot.

Attila a levé les yeux de son soda.

— Un service funèbre ? *Ici ?*

Le révérend Thompson a hoché la tête et décroché sa serviette de son col.

— C'est une excellente idée, Lana. Et c'est sympathique, ici, mais j'aimerais que vous envisagiez l'église de Creekside comme un lieu plus approprié. Nous avons un vaste sanctuaire et je suis certain que Rose souhaitera jouer pour le service. (Miss Rose est la pianiste de Creekside.) Cela me ferait le plus grand plaisir.

J'ai balayé le café des yeux, découvrant une mer de visages incrédules. Autant que je sache, Mr Jesse n'a jamais mis les pieds à l'église de Creekside. Mais la souplesse naturelle de Miss Lana s'est manifestée dans toute sa splendeur :

— Formidable. Dimanche à quatorze heures ?

— Parfait, a fait le révérend Thompson.

À ma surprise, la salle du petit déjeuner s'est vidée tôt. À mon horreur, Attila m'a laissé son addition impayée. Elle avait écrit au dos : Merci pour le p'tit déj, Mo-rue. Salue Dale pour moi.

Quand Dale et moi nous sommes finalement assis pour manger à neuf heures trente, Thes est revenu en trombe.

— Je ne voulais pas en parler tant que papa était là, mais Spitz a disparu. L'affaire est à vous.

— Ton chat ? Encore ? a fait Dale. Il s'enfuit chaque fois que le vent change de direction. C'est un récidiviste, Thes. On ne va pas le chercher.

— C'est dans votre pub, il a dit en indiquant notre affichette. C'est comme donner votre parole.

J'ai soupiré et ouvert mon carnet de commandes.

— Bon. J'aurai besoin d'une description officielle.

— Chat, a dit Thes. Poil orange, yeux verts, mastoc.

J'ai écrit : *Spitz. Ressemble à Thes.*

— Dernier lieu où il a été vu ?

— Le cimetière. Hier. Environ à la même heure que lorsque Mr Jesse a été retrouvé mort.

Il a avalé sa salive avec difficulté.

— Vous pensez que…

— Personne ne parle d'un tueur en série, a fait remarquer Dale avec sérieux. Pas encore.

Le révérend Thompson a klaxonné et Thes s'est rué dehors.

— Nous aussi, il faut nous dépêcher, j'ai dit à Dale. Allons sur la scène de crime.

– Sur la scène de crime ?

Je ne lui ai pas signalé le sirop d'érable à son menton.

– Bien sûr, j'ai dit. On est des professionnels.

– OK mais je ferais mieux d'aller d'abord voir Mama.

Il a enfourné sa dernière crêpe pliée dans sa bouche.

Une chose à propos de Miss Rose : elle a besoin de toujours savoir où se trouve son petit.

10 – À la grange à tabac

Vingt minutes plus tard, nos pieds tambou-rinaient sur le perron de Miss Rose.

– Maman, a appelé Dale alors que la porte-moustiquaire claquait dans notre sillage. Je suis rentré !

Silence.

– Elle doit être dans le jardin, il a murmuré. Viens, elle voudra dire bonjour.

Nous étions à mi-chemin du couloir quand une porte s'est ouverte derrière nous.

– Halte-là, jeune homme, a dit Miss Rose en passant la tête hors de sa chambre. Où crois-tu aller comme ça ?

J'ai compris à la panique sur le visage de Dale qu'il avait oublié s'être éclipsé pendant la nuit pour venir chez moi.

Comment il peut oublier ce genre de chose est pour moi un mystère.

– B'jour, Miss Rose, j'ai dit. Belle journée pour une grasse matinée, n'est-ce pas ?

– J'imagine que ce serait le cas si j'avais les moyens de vivre ainsi, elle a répondu, son ton coupant me glaçant les oreilles.

Ses yeux verts se sont posés sur son fils.

– Qu'as-tu à dire pour ta défense ?

– B'jour, Mama, a fait Dale avec un sourire faiblard. Tu as trouvé mon mot ? J'en ai laissé un pour que tu ne t'inquiètes pas.

– Un mot ? elle a dit en plongeant la main dans la poche de sa jupe. Voyons si je peux mettre la main sur un mot. Ah, c'est vrai, j'ai trouvé quelque chose sur ton lit quand je suis venue te réveiller pour le petit déjeuner. Le voici. Quel bonheur !

J'avais comme l'impression que ce bonheur n'allait pas durer.

Elle a brandi un bout de papier chiffonné et ajusté ses lunettes de lecture pour le déchiffrer :

– « Mama, je suis soupçonné de meurtre et je suis chez Mo, si tu as besoin de moi. Ne t'inquiète pas, s'il te plaît. Ton fils qui t'aime, Dale. » Est-ce *ça*, le mot dont tu parles ?

Dale était mal à l'aise.

– Il me paraissait mieux quand je l'ai écrit.

– *Soupçonné de meurtre ?* elle a dit, sa voix grimpant dans les aigus.

– Je suis innocent, a protesté Dale.

Je suis intervenue pour détendre la situation :

140

— Vous savez, Miss Rose, on pourrait dire que c'est de ma faute, indirectement. Vous serez sans doute surprise d'apprendre que je suis celle qui a appelé Dale cette nuit au sujet des soupçons dans l'affaire d'homicide. Il se trouve que Dale n'a pas été vraiment nommé. Alors c'est une fausse alerte en quelque sorte.

— Toi aussi, tu as à voir avec ça, Mo ? a dit Miss Rose, les syllabes tombant comme des copeaux de glace. Vraiment ?

— Oui, m'dame. Je n'aurais probablement pas dû appeler si tard.

— Non, en effet. Et Dale n'aurait pas dû partir sans demander la permission. Qu'est-ce que tu en dis, Dale ? Pourquoi n'as-tu pas demandé ? Tu croyais que j'allais vouloir t'accompagner ?

— Non, m'dame, il a soupiré.

— Alors pourquoi ?…

Elle s'est interrompue, les yeux noyés de larmes.

Les larmes de Miss Rose agissent comme un sérum de vérité sur Dale. Il a lâché sa réponse :

— Je n'ai pas demandé parce que je savais que tu ne voudrais pas que j'y aille.

J'ai fait la grimace.

— Je ne voudrais pas que tu y ailles ? Parce que ? a demandé Miss Rose.

Dale avait l'air d'un condamné fabriquant son propre nœud coulant.

– Parce que c'était après mon couvre-feu de neuf heures.

Elle a attendu pendant qu'il fixait les pivoines jaune délavé du lino.

– Et parce que c'était dangereux, il a ajouté.

– Tu aurais pu te faire tuer ! s'est écriée Miss Rose. Dieu soit loué, Lana m'a appelée ce matin pour me dire où tu étais. J'aurais été morte d'inquiétude si…

Elle a pris une inspiration tremblante.

– Qu'est-ce que je vais faire de toi ?

La peur a envahi les yeux de Dale.

– Tu ne vas pas le dire à papa, hein ?

– Ton père n'est plus concerné, elle a rétorqué. Tu es privé de sorties. Pas de courses, pas de balades au café, ni à vélo.

– Privé de sorties ? il a gémi. Pour combien de temps ?

– Jusqu'à ce que je dise que tu n'en es plus privé, voilà combien de temps, a dit Miss Rose en sortant brusquement un autre bout de papier de sa poche. Et tant que tu seras à la maison, ces jours qui viennent, j'aurai quelques corvées pour toi. D'abord, je voudrais que tu nettoies la grange à tabac.

– La grange à *tabac* ? a fait Dale avec surprise. Je croyais que tu me ferais désherber le jardin ou tondre la pelouse.

– Silence, j'ai chuchoté.

142

– Pourquoi nettoyer la grange à tabac ? il a continué. Personne ne l'utilise depuis des années.

– Je voudrais aussi que tu répares des objets sous l'abri.

– Quels objets ?

– Des objets que j'ai fait mettre là. Et je veux l'écurie nettoyée. Le crottin derrière l'écurie devrait déjà être composté. Je voudrais que tu l'emmènes au jardin. Tu peux utiliser la brouette.

– Miss Rose, j'ai dit. Je ne veux pas interrompre, mais pour tout dire, Dale et moi avons des projets. Nous venons d'ouvrir une agence de détectives. Peut-être avez-vous entendu parler de nous. Les Détectives Desperados ? Nous avons un meurtre à résoudre.

Elle n'a même pas levé les yeux.

– Dans ce cas, Mo, je suggère que vous ouvriez une succursale dans la grange à tabac. Parce que c'est là que Dale va se trouver pendant un long moment.

– Ah, Mama…, il a dit.

– Et ne me donne pas du « Ah, Mama », elle a répliqué, les poings sur les hanches.

On est restés pétrifiés jusqu'à ce qu'elle se détourne pour aller vers la cuisine.

– Dale, cette grange ne se nettoiera pas toute seule. Si tu vois des serpents, appelle fort et j'arriverai, elle a dit avec un hochement de tête en direction de la carabine à côté de la porte. (Miss

Rose tire mieux que n'importe qui dans le comté, sauf le Colonel.) Et, tu as *intérêt* à être là-bas, et à être occupé.

— Oui, m'dame.

Elle m'a jeté un coup d'œil.

— Quel est ton programme, aujourd'hui, Mo ?

— Je me disais que moi et Dale, on s'occuperait du meurtre de Mr Jesse et qu'on résoudrait peut-être l'affaire. S'il y a une prime, nous espérons partager l'argent avec vous.

— N'y a-t-il pas déjà quelqu'un qui travaille à ça ? elle a demandé. Un adulte, peut-être ?

— Oui, m'dame, l'inspecteur Starr, j'ai dit alors qu'elle ouvrait le robinet de l'évier et attrapait le liquide vaisselle.

Le père de Dale refuse d'acheter un lave-vaisselle. Il dit que s'il en achetait un, il n'aurait pas besoin d'une femme.

— Le problème, c'est que Dale et moi détenons des informations que Joe Starr n'a pas. Comme par exemple que Mr Jesse avait une petite amie. Starr ne sait pas ça.

Miss Rose restait immobile.

— Ni que la petite amie avait un mari, a ajouté Dale. Starr ne sait pas ça non plus.

Rien ! Le commérage du siècle et elle ne manifestait rien !

— Dale ? a fait Miss Rose sans lever les yeux. Tu es encore planté là ?

— Non, m'dame, il a soupiré avant de traîner des pieds vers la porte.

Elizabeth II nous a rejoints au milieu du jardin de derrière. Dale a jeté un bâton dans un champ de tabac vert foncé qui nous montait aux genoux.

— Va chercher, Liz, il a fait.

La sueur gouttait dans mon dos et des mirages sautaient entre les rangées comme des spectres de singes. Liz a rapporté le bâton et l'a craché aux pieds de Dale.

— Bon toutou, il a dit en lui frottant les oreilles. Elle est intelligente, pas vrai, Mo ?

— Elle est brillante, j'ai menti.

— À mon tour de m'entraîner, il a dit en me lançant une pomme de pin et se postant sur ma gauche alors qu'on dépassait l'écurie.

Mais je me suis immobilisée, horrifiée, fixant la grange à tabac droit devant.

— La vache ! j'ai murmuré. Ta Mama a perdu la boule.

La grange s'élevait, haute et sans fenêtre, ses parois en tôle drapées de rouille. Sous son auvent se trouvait un terrifiant amoncellement de bois et de métal enchevêtrés. Une carriole en bois était renversée, son axe cassé, son chargement de planches étalé comme un mikado. Des chaînes rouillées et des courroies en cuir usées décoraient une pyramide de chaises cassées et de charrues hors d'âge.

Les épaules de Dale en sont tombées.

— Tu vas devoir t'occuper du meurtre toute seule, Mo. En fait, tu vas peut-être devoir aller au collège toute seule parce que j'aurai pas fini pour la rentrée.

— Possible, a dit gaiement Miss Rose en nous rejoignant. Allez, Mo. Nous allons te reconduire chez toi.

Je me suis installée dans la Pinto, attristée par le destin cruel de Dale et pensant à cette inaccessible scène de crime, trois kilomètres plus loin sur la route.

11 – Arme du crime
à trouver

En quelques minutes, j'en étais réduite à supplier.

– Mais, Miss Lana, il *faut* que j'aille sur la scène de crime. S'il te plaît.

– Désolée, mon chou, elle a répondu en alignant les salières. Ce n'est pas sûr pour toi d'y aller seule.

Elle a plongé le bras sous le comptoir puis l'a allongé vers moi, un sac de courses doré au bout des doigts.

– J'ai oublié ça hier soir, elle a dit en souriant. Vas-y, ouvre.

Quand Miss Lana ne m'emmène pas à Charleston, elle me rapporte toujours quelque chose.

– C'est un t-shirt du Rainbow Row[1] ? j'ai demandé. Parce que mon vieux n'a plus qu'une manche, à cause des barbelés de Miss Blalock.

1. Rangées de maisons anciennes aux couleurs pastel, attraction historique de Charleston. (N.d.T.)

— Tu l'as déchiré sur la clôture de Lucy Blalock ? elle a demandé en ouvrant un paquet de sel.

— En mars dernier, tu te rappelles ? j'ai dit en tenant une salière pour qu'elle la remplisse. Dale et moi, on a cueilli des narcisses pour toi sous son vieux réservoir d'eau au tourniquet qui grince. Tu vois lequel : Criiiiiik, Criiiiiiiiiiik.

— Ah oui, a dit Miss Lana, l'air absente. Je me rappelle. Vas-y, ouvre. Je suis impatiente de voir ta tête.

J'ai tiré d'un coup sec sur le coin du sac et un album vert de scrapbooking a tournoyé à travers le comptoir.

— Pour ton autobiographie, elle a dit en l'ouvrant. Je l'ai commencé à Charleston. J'ai laissé cette page blanche pour y coller l'annonce de ton accostage. Tu l'as encore, n'est-ce pas ? Une jeune fille doit garder tout ce qui la met en valeur.

J'ai opiné et tourné la page.

— Là, c'est l'article sur l'accident du Colonel. Et ceux-ci viennent du vieux *Tupelo Times* : l'inauguration du café, notre crémaillère, ta cérémonie de fin de maternelle. Voilà Cousin Gédéon qui va à son procès.

— Il est beau, j'ai dit, même menotté.

— Et ici, c'est le Colonel.

Je me suis penchée sur l'album. Un jeune Colonel était assis à une table en treillis militaire. Il faisait sauter sur ses genoux un bébé exceptionnellement mignon. Derrière eux, sur la table, une valise ouverte débordait de bricoles pour bébé.

– Est-ce que c'est la valise d'où sont venues toutes les rumeurs sur l'argent du Colonel ? j'ai demandé.

Miss Lana a ri.

– Je suppose. C'est Macon qui a lancé ce mensonge. Il n'y a aucune limite à ce que les gens peuvent dire et à ce que les autres peuvent croire.

Elle a dévissé les poivriers.

– Ici, c'est qui ? j'ai demandé en détaillant la photo d'une fille au visage fin d'environ mon âge.

Elle était pieds nus, en bermuda et chemisier blanc soigné, son visage solennel encadré de cheveux bouclés au fer.

Miss Lana a éternué.

– Là, c'est moi avant mon éclosion. J'avais environ ton âge.

Elle a tourné la page.

– Et là, ce sont mes parents assis à l'ombre de notre chêne. Je ne saurais pas dire combien de dimanches après-midi on a passés là. C'était avant d'avoir la climatisation. 38-39 °C à l'ombre…

J'ai examiné les visages de ses parents : des visages puissants, dont les yeux regardaient droit au fond de mon cœur. Je me suis demandé si mes parents à moi regarderaient aussi dans mon cœur.

– Tes parents ont des visages bons, j'ai dit. J'aurais aimé les connaître.

– Moi aussi, mon chou, j'aurais aimé que tu les connaisses, elle a dit. Ils t'auraient adorée.

Elle a tourné la page.

– Et voici quand j'ai découvert le club de théâtre et me suis trouvée.

C'était la fille de la première photo, en plus lumineuse : en train de se maquiller sous un projecteur, tenant un bouquet de fleurs.

– Souviens-toi du conseil de Bill...

– Bill Watson ? De la quincaillerie ? Mais le Colonel dit que c'est un imbécile.

– Bill *Shakespeare*, a précisé Miss Lana. Le monde entier est un théâtre, mon chou, alors saute en scène.

Elle a jeté un coup d'œil à la pendule.

– Mon Dieu ! Les clients du déjeuner vont arriver et il faut encore que je sorte l'estrade et que je me change !

J'ai refermé l'album.

– Merci pour ce cadeau, il me plaît énormément. Je le regarderai ce soir. Pour l'instant, il faut que j'aille chez Mr Jesse – si tu peux t'occuper du déjeuner.

Elle a jeté un coup d'œil à la pendule 7 Up.

– Je suppose que oui. Il y a tellement peu de monde... Si j'ai besoin d'aide, je peux demander à quelqu'un. Mais tu ne peux pas y aller seule. Mo, j'insiste. Sois patiente, quelqu'un va venir prendre un thé glacé et te proposera de t'emmener.

Elle a jeté un coup d'œil dehors pendant que je prenais deux blocs de commandes pour noter mes indices.

– Mais où sont donc passés nos clients de milieu de matinée ?

– Aucune idée, j'ai dit.

Il m'a fallu environ quinze minutes pour le découvrir.

Alors que je déchargeais mon vélo de l'arrière du camion de Red le Rustre, j'ai aperçu la moitié du bourg massée en haut de l'allée bordée d'arbres de Mr Jesse.

– Hé ! Skeeter, ma concurrence est déjà arrivée ? j'ai demandé en regardant vers la maison du mort.

Elle a hoché la tête.

– Starr et deux policiers en civil. Un jeune et une femme brune d'âge indéterminé. (Skeeter a l'œil pour les détails.) Ça fait environ une heure qu'ils sont là-dedans.

J'ai parcouru la foule des yeux. Debout dans des flaques d'ombre matinale, les clients du café posaient des questions, inventaient des réponses et les transmettaient comme des vérités.

– Starr a dit qu'il arrêterait toute personne qui traverserait son ruban de scène de crime.

Sal a fusé hors de la foule, deux bouteilles d'eau glacée à la main, et en a tendu une à Skeeter.

– Hé ! Mo.

Elle a souri, ses yeux gris timides remplis d'espoir.

– Dale n'est pas là ?

– Privé de sortie, j'ai répondu. Peut-être à vie.

– C'est peut-être pas plus mal, a dit Skeeter en coulant un regard vers Attila et sa mère, qui avaient installé des chaises sous un lilas des Indes.

Attila s'était affalée sur la sienne, bras croisés, avec une moue grimaçante. J'ai visé Mrs Simpson – air pincé, voix perçante, coloris beige – en train de fermer leur glacière.

– Je me fiche bien que tu le veuilles ou non, Anna, disait-elle. Notre famille chante, et toi aussi tu vas chanter. Tu dois juste surmonter ta gêne.

J'ai souri à Attila, qui a rougi d'un rouge peu flatteur.

– J'essayerai, Mère, elle a fait d'une voix forte. Au moins, je sais qui est notre famille et ce qu'elle fait.

Sa mère m'a jeté un coup d'œil et a caché un sourire.

Je déteste Anna Céleste.

– Hé ! Mo, a lancé Thes en passant. Tu as retrouvé Spitz ? Parce que c'est surtout un chat d'intérieur et on a quatre-vingts pour cent de chances d'avoir de la pluie ce soir. En plus, il est très difficile question nourriture. Il n'aime que les boîtes.

– On y travaille, Thes, j'ai répondu. Mais tu as raison : les premières vingt-quatre heures sont déterminantes.

Il a hoché la tête et s'est fondu à nouveau dans la foule.

J'ai scruté l'allée sinueuse. Le vieux 4 × 4 Chevrolet de Mr Jesse avait écrasé le gravier en une

152

poussière gris argent ; l'herbe maigre rampait avidement le long du talus central. Le ruban jaune vif qui délimitait la scène de crime paraissait déplacé dans cette nature.

— Jusqu'où va ce ruban ? j'ai demandé.

— Tout autour de la maison, jusqu'à la crique. *Soi-disant*, a vite rajouté Skeeter, je l'ai pas vu de mes yeux. En Caroline du Nord, les cours d'eau sont propriété publique. Ça expliquerait pourquoi ils se sont arrêtés à la crique.

J'ai opiné, mais n'avais jamais entendu parler de ça.

— C'est presque l'heure de manger, a dit Sal en se mettant à l'ombre. Tu vas servir les gens ici ? Ils vont pas bouger avant que Starr s'en aille.

— C'est vrai, a renchéri Skeeter. Ils auront plus faim pour des informations que pour le plat du jour de Miss Lana.

Une idée s'est plantée devant moi, aussi gonflée que le chat écervelé de Thes.

— Pas de problème. On peut servir une foule de cette taille, j'ai répondu avec un grand sourire. Qui veut un déjeuner gratuit ?

Les yeux de Skeeter sont devenus méfiants.

— Je ne sais pas. Je n'ai personnellement pas faim.

Les talents de négociatrice de Skeeter sont légendaires.

— Ce n'est pas tant un déjeuner gratuit que je te propose qu'une rétribution sous forme de

153

sandwich au pain de mie Merveille, j'ai précisé, gagnant cette fois son attention.

J'ai sorti des blocs de commandes de mon panier de bicyclette et les leur ai tendus.

— Boissons en canettes et burgers exclusivement. Frites seulement s'ils supplient. Un dollar par article. Apportez les commandes à Miss Lana et je m'occuperai du reste. Si je ne suis pas de retour avec la marchandise avant douze heures trente, dites-leur que le service sur place a été annulé et qu'ils doivent aller au café.

— Marché conclu, a dit Sal alors qu'un chat orange sortait de dessous les buissons, des plumes gris pâle collées à sa tête ronde.

Apparemment, le fugueur n'était pas si difficile que ça avec la nourriture. J'ai crié :

— Hé ! Thes, voilà ton chat. Avec les compliments des Détectives Desperados !

J'ai démarré en trombe et longé toute la propriété de Mr Jesse, en zigzaguant pour rester à l'ombre.

J'ai abandonné mon vélo dans un chèvrefeuille grimpant près de la crique, enfoncé mon dernier bloc de commandes dans ma poche, fait un double nœud à mes baskets à carreaux et balayé la rive des yeux pour repérer des mocassins d'eau[1]. L'eau tiède

1. Serpent aquatique très répandu dans le sud-est des États-Unis et dont la morsure est potentiellement mortelle. (N.d.T.)

m'a enveloppé le mollet jusqu'au genou alors que mon pied s'enfonçait dans le lit bourbeux de la crique et j'ai avancé, la vase aspirant mes chaussures.

Me faufilant de l'autre côté du laurier auquel Starr avait accroché son ruban jaune, j'ai mis le cap vers le coude juste au-dessous de chez Mr Jesse. Soudain, je me suis figée en entendant la voix de Starr de l'autre côté du chèvrefeuille :

— Essaye par ici, Ben.

J'ai glissé un œil à travers les branches. L'adjoint de Starr était enfoncé dans l'eau jusqu'à la poitrine. Même en combinaison de plongée, il avait l'air baraqué. J'ai sorti mon calepin et noté : *Adjoint Ben. Muscles.*

Il a pataugé vers Starr, resté debout sur le ponton.

— L'eau est sacrément boueuse, il a dit. Mais si l'arme du crime est là, je la trouverai.

Alors qu'il disparaissait sous la surface, une femme est sortie de l'ombre à trente mètres en aval.

— Hé ! elle a crié. J'ai une autre série d'empreintes par ici !

— Bien, Marla, a répondu Starr. Quelle direction elles prennent ?

J'ai écrit : *Adjointe Marla. Bruyante.*

— Vers les bois. Ça pourrait être celles d'un garçon, elle a dit. Du 37. Semelle Nike.

Mon cœur a chaviré. Les empreintes de Dale.

— Fais un moulage, a crié Starr. Ensuite regarde où elles mènent.

Ben a refait surface.

— Encore des ordures, il a dit en jetant une vieille bobine sur le ponton.

— Encore un ou deux plongeons et on remorquera le bateau de Jesse Tatum, a dit Starr. Il va pleuvoir et je ne veux pas perdre les traces de sang sur les rebords.

Traces de sang ? Je me suis avancée, pliant une branche au passage.

— Restreins ton rayon de recherches. Pour que le sang éclabousse dans ce sens, il aurait été frappé comme ça, a dit Starr en balançant son poing. Et donc, si l'arme lui a échappé, elle devrait être par là.

Où ça ? Je n'arrivais pas à voir. J'ai avancé encore. Clac ! La branche a cassé.

Starr a porté la main à son pistolet.

— Vous ! il a aboyé, en visant à environ trois mètres sur ma gauche. Mettez vos mains où je peux les voir et sortez. Maintenant.

Je me suis retournée pour courir, mais j'ai trébuché. Du coin de l'œil, j'ai vu Starr ajuster son tir et j'ai hurlé :

— Ne tirez pas !

J'ai écarté brusquement les bras pour retrouver l'équilibre. Mon bloc de commandes a volé de ma main alors que je tombais à la renverse en un parfait plat arrière. La crique s'est refermée sur moi, avalant le soleil. J'ai tendu les bras vers le fond et poussé pour remonter.

156

— Ne tirez pas, j'ai haleté en levant une main, puis en essuyant la boue de mes yeux. C'est Mo ! Celle qui est probablement orpheline. Ne tirez pas !

— Ne tirez pas ! a tonné Starr. C'est la gamine du resto.

J'ai tiré un grand coup sur la racine qui m'avait fait trébucher. Et c'est alors que j'ai fait la découverte du siècle.

Ce n'était pas une racine ; c'était la rame de Mr Jesse. Et était-ce de l'eau qui brillait au bout de sa pale ébréchée ? Ou bien étaient-ce des taches de sang ?

Starr a pataugé vers moi.

— Mo LoBeau, qu'est-ce que tu fabriques sur ma scène de crime ?

J'ai lissé ma chemise et attrapé mon calepin d'indices trempé qui dérivait à côté de moi.

— Bonjour, inspecteur, j'ai dit en maîtrisant ma voix professionnelle et poussant la rame vers lui. Voici votre arme du crime.

Il s'est emparé de la rame.

— La rame de Mr Jesse, j'ai précisé. Il en a sculpté lui-même la poignée l'hiver dernier pour l'adapter à ses mains.

Je me suis redressée, toute droite, le stylo prêt, comme Miss Lana me l'avait appris.

— Bienvenue au service livraison du café, j'ai dit. Avez-vous fait votre choix de pique-nique ou voulez-vous encore quelques minutes ?

12 – Ne touche pas à ma scène de crime

J e savais que je finirais un jour par rouler dans une voiture de patrouille banalisée, mais je m'imaginais au volant, j'ai confié à Starr alors que le moteur de l'Impala couleur poussière ronronnait en remontant l'allée de Mr Jesse.

Des églantiers avaient envahi le chemin, crissant le long des portières.

– Au volant ? Tu as de la chance de ne pas être menottée, a grondé Starr. Il est illégal de faire intrusion dans une scène de crime.

– Je n'ai pas traversé votre ruban, ai-je corrigé en dégageant mes cheveux mouillés de ma figure. Je suis venue par la crique. Parfaitement légal. Si vous ne me croyez pas, demandez à Skeeter, mon avocate-stagiaire.

Starr a souri.

– Drôle de nom pour une avocate.

Je le pensais aussi mais n'appréciais pas qu'il le dise.

– Le Colonel dit que tous les avocats devraient être appelés du nom d'insectes suceurs de sang pour qu'on sache d'entrée de jeu à qui on a affaire.

Le sourire de Starr s'est élargi. Il a l'air plus jeune quand il sourit. Son œil se plisse et le côté de sa bouche se creuse d'une fossette. Je voyais presque pourquoi il pouvait plaire à Miss Retzyl.

– Tu n'as pas le droit d'intervenir dans une enquête. Quoi que ta copine en dise.

– Je n'intervenais pas, je cherchais l'arme du crime, j'ai dit alors qu'on prenait un virage. Hé ! vous devriez ralentir. Presque tout le village est là, au bout de l'allée, à attendre des nouvelles du meurtre. En plus, les gens vont vouloir savoir qui est en voiture avec vous.

À la vue de la foule, Starr a donné un petit coup de frein. J'ai descendu ma vitre.

– Hé ! Mr Li, j'ai crié. J'ai trouvé l'arme du crime !

Mr Li a agité le bras.

– Bravo, Mo. Demande à Miss Lana de doubler ma portion de frites, je meurs de faim !

– Moi aussi, a crié Thes.

Sal a foncé vers ma vitre ouverte.

– Mo, Anna Céleste dit qu'elle et sa mère déjeunent gratuitement aujourd'hui. Je ne savais pas quoi faire…

Chantage. Attila en savait assez sur où se trouvait Dale la nuit du crime pour me racketter jusqu'à la fin de mes jours.

– Je m'en occupe, Sal, j'ai répondu. Merci.

Starr a accéléré et la foule s'est écartée.

– Attache-toi, il a dit d'une voix chaude comme du bronze.

– Ça déchire, cette balade, j'ai dit en bouclant ma ceinture et en agitant la main vers une grappe de lycéens. Vous avez le droit de conduire comme ça pour aller chez Miss Retzyl, quand vous sortez avec elle ? Depuis combien de temps vous la connaissez, d'ailleurs ? En tant que presque sixième, j'ai le droit de savoir.

– Tu poses trop de questions.

– Déformation professionnelle. De détective, j'ai ajouté en devançant sa question.

Il a eu un rire étouffé.

– Il faut des années de formation pour devenir enquêteur.

– Heureusement que je ne le savais pas, j'ai dit en soulevant le récepteur radio de son socle. Sans moi, vous n'auriez pas l'arme du crime. Vous envoyez ma rame au labo ?

– Nous ne savons pas si c'est vraiment l'arme du crime, il a dit en reposant la radio en place. Mais oui, mon adjointe l'a emballée pour le labo.

– Vous avez trouvé d'autres indices ? D'un enquêteur à un autre…

– Rien ne me vient à l'esprit, il a répondu en me jetant un regard froid. Et toi ? Tu connais cette ville. Qu'est-ce que t'en penses ? D'un enquêteur à un autre…

Voilà pourquoi il était gentil : il voulait *mes* indices.

– Aucune idée. Vous pouvez me laisser en bas de l'allée, j'ai ajouté en pointant vers l'endroit. Il faut que je reprenne mon vélo.

Il n'a même pas ralenti.

– Je te ramène jusqu'au café, il a dit. Je ne te veux pas dehors toute seule. En plus, j'aimerais dire deux mots au Colonel.

Mon assurance a vacillé comme un vélo en terrain sablonneux.

– Au Colonel ?

– Ouais. Ça ne pose pas de problème, si ?

J'ai haussé les épaules.

– Pas pour moi, j'ai dit en espérant avoir raison.

Quelques minutes plus tard, Starr se garait à côté de l'Underbird et me suivait à l'intérieur du café.

– Entrez, a chantonné Miss Lana de la cuisine. Je suis à vous dans une minute !

Starr s'est décoiffé d'un geste vif.

– Ça a changé ici, il a dit.

C'était peu dire.

On peut voir qui tient le café dès qu'on en passe le seuil. Le Colonel y maintient un ordre militaire ; Miss Lana, elle, préfère une thématique. En regardant à la ronde, j'ai identifié le thème du jour – son préféré : le Paris des années 1930. Une tour

Eiffel miniature ornait le comptoir et un antique phonographe Victrola qu'elle avait placé à côté du juke-box gratouillait une musique d'accordéon aigrelette. Les tables en Formica rouge arboraient des nappes en dentelle blanches donnant au café une touche bohème. L'ardoise du comptoir annonçait : « *Le Menu* ».

— *Bonjour*, a dit Miss Lana en poussant du dos les portes battantes de la cuisine. Bienvenue *à la café*.

Sa robe rose pâle gainait son corps jusqu'à mi-mollet comme un étui fin et luisant. Elle a pivoté gracieusement, placé un plateau de verres étincelants sur le comptoir et adressé son plus beau sourire à Joe Starr.

— Mo, où sont tes bonnes manières ? Prends donc le chapeau de ce monsieur, elle m'a lancé tout en saisissant son éventail et en l'ouvrant d'un mouvement preste et calculé du poignet. Bienvenue, *mon capitán*.

Quand Miss Lana fait l'actrice, elle y va à fond.

J'ai lancé le chapeau de Starr d'une pichenette sur le comptoir.

— Il est pas capitaine, il est inspecteur, j'ai précisé en agitant mes sourcils de la façon universelle qui veut dire «Tais-toi». Il est là à propos du meurtre.

Elle m'a ignorée.

— Du vin, monsieur ? À moins que vous ne soyez en service…

– Thé glacé, a dit Starr, son regard se portant au-delà de la perruque Jean Harlow de Miss Lana vers les photos hollywoodiennes en noir et blanc au mur.

Je me suis réintroduite dans la conversation.

– Inspecteur Joe Starr, voici Miss Lana, Miss Lana, INSPECTEUR Joe Starr. Celui dont je t'ai parlé. Celui qui enquête sur le meurtre de Mr Jesse. Est-ce que ce sont nos déjeuners là-bas ?

– Oui, mon chou, elle a dit en jetant un coup d'œil au soigneux alignement de sacs en papier kraft sur le comptoir. Tout emballés et prêts à partir. Sal m'a apporté la liste des commandes à emporter. Elle a dit que le déjeuner d'Anna était pré-payé… ?

– C'est ça, j'ai dit, en coupant court. J'ai son argent sur moi. Voulez-vous m'aider à porter une partie de ces déjeuners ? j'ai demandé à Starr. Et me ramener en haut de l'allée ? Les gens ont faim et, après tout, vous êtes un fonctionnaire du service public.

Maintenant c'était *lui* qui m'ignorait.

– C'est calme pour un déjeuner, il a dit à Miss Lana.

– Naturellement, elle a répondu. Personne ne pense au café ces jours-ci. Tous les yeux sont tournés vers vous.

Starr a jeté un coup d'œil à la seule table occupée du café. Le client solitaire de Miss Lana s'était affaissé en avant, plongeant la tête dans ses bras.

– Trop de vin ? a demandé l'officier en indiquant l'homme d'un hochement de tête.

Miss Lana a soupiré.

– Trop bu bien avant qu'il n'arrive à ma porte.

Elle a saisi le pot à café et virevolté à travers la salle pour remplir la tasse de l'homme. Celui-ci s'est redressé et a levé un regard vague dans notre direction.

Crotte. Le papa de Dale. Ma journée n'aurait pas pu être pire.

– Hé ! Mo, a bafouillé Mr Macon.

Il avait l'air affreux – comme si le temps lui avait attrapé la figure à deux mains et l'avait pressée pour en extraire toute la vie.

– Hé ! j'ai murmuré, en allant vers le juke-box.

Peut-être que si je restais là assez longtemps, il allait se rendormir. Le nom de Dale était le dernier que je voulais entendre avec Starr dans la salle.

– Où est le Colonel ? a demandé Starr. J'aimerais lui dire un mot, si cela ne vous dérange pas.

– Le Colonel ? a hésité Miss Lana. Eh bien, il ne me semble pas qu'il soit là. Mais c'est difficile de suivre… une personnalité aussi volatile. Est-ce que sa voiture est devant ?

– Oui, m'dame, j'ai confirmé.

– Va à la cuisine, mon chou, et appelle-le. Peut-être qu'il est en train de pêcher par-derrière.

J'ai pensé : *S'il est à la pêche, j'en connais un autre qu'on mène en bateau – un certain Joey Starr.*

J'ai jeté un coup d'œil au père de Dale. Dans les vapes à nouveau, Dieu merci. J'ai traversé la cuisine comme une flèche jusqu'à la porte de derrière et mis mes mains en porte-voix.

– Colonel ? j'ai appelé, assez fort pour que Starr m'entende. Miss Lana te demande.

J'ai attendu une minute avant de rentrer.

– Très bien, inspecteur, disait Miss Lana. Deux hamburgers à emporter. Dommage que vous ne restiez pas déjeuner. Nous aurions pu faire un peu connaissance.

– Le Colonel ne répond pas, j'ai dit. Je suppose qu'il ne m'entend pas.

– Cet homme me rendra folle, elle a soupiré en regardant Starr d'un air accablé. Oh, il va revenir en catimini quand on s'y attend le moins avec une histoire à dormir debout sur un bar géant ou un… Comment s'appellent déjà ces bestioles dont il parle tout le temps, mon chou ?

– Poisson-chat ? j'ai suggéré.

C'était un gros bobard, cette idée du Colonel en train de pêcher. Sa seule histoire de pêche parlait d'un bâton de dynamite et d'un panier de trente litres.

– Un poisson-chat, elle s'est exclamée, tout sourire. Bien sûr !

Elle s'activait avec insouciance, mais rapide comme l'éclair, à confectionner les hamburgers de Starr, les envelopper dans un papier propre et les mettre

dans un sac. Elle désirait au moins autant que moi
voir l'inspecteur partir.

– Voilà. Avec les compliments de la maison, elle
a dit en poussant le sac vers lui.

– Merci quand même, il a fait en mettant dix
dollars sur le comptoir. Gardez la monnaie.

– *Très bien*, elle a pépié. *Au revoir !*

– *Merci*, a marmonné Starr en se dirigeant vers
la porte. Au fait, vous n'avez pas mentionné le
meurtre, ce que je trouve étrange. C'est en général
le premier sujet sur lequel les autres m'interrogent.

– Eh bien *pardonnez-moi*, a dit Miss Lana.
Comment va votre enquête, inspecteur ?

– Bien. Et ne vous inquiétez pas de ne pas avoir
demandé. Après tout, il y a quelques questions que
je ne vous ai pas posées moi-même. Par exemple,
une idée de qui aurait pu vouloir la mort de Jesse
Tatum ?

Je me tenais derrière Starr et agitais les bras,
articulant en silence les mots *Non ! Non !* alors que
Miss Lana me dévisageait.

Elle a délicatement haussé les épaules.

– Eh bien, sa petite amie aurait pu vouloir sa
mort. Ou son mari jaloux. Je suis sûre que vous
en avez entendu parler. Selma et Albert Foster, de
Kinston ?

J'ai eu le vertige. Mes meilleurs indices !

– Alors, vous les connaissez ? a dit Starr en
sortant son calepin.

— Non, a répondu Miss Lana. Mais on entend des choses quand on tient un café.

Il a hoché la tête.

— Et où étiez-vous la nuit où Jesse Tatum est mort ?

— Dans un car Greyhound, rentrant de Charleston.

— Seule ?

Elle a souri.

— Dans le sens existentiel du mot, nous voyageons toujours seuls, n'est-ce pas ? Parfois, je sens comme une douleur sourde, là, elle a dit en portant la main à son cœur. Pas vous ? Comme un enfant impatient de rentrer à la maison.

Starr a froncé les sourcils.

— Je vois, il a dit, j'ai senti la même chose jeudi dernier. Mais je vous demande si vous étiez seule, plus dans le sens alibi de la chose. Physiquement seule ?

— J'étais dans un *car*, elle a dit, son sourire s'évanouissant. Je suis sûre que c'est facile à confirmer.

Starr a hoché la tête et refermé son calepin avec un claquement.

— Sans doute. Je vais vérifier pour vous. Tu veux que je te ramène en voiture à l'allée de Jesse Tatum, Mo ?

Avant que je puisse répondre oui, la main de Miss Lana est tombée sur mon épaule.

— Non, merci, inspecteur, elle a dit. Je l'y conduirai moi-même.

Quoi ? Miss Lana ne sait pas conduire…

— Une dernière question, a fait Starr. Quelqu'un a mentionné avoir vu un garçon près de chez Mr Jesse le jour de sa mort. Maigrelet, blond, t-shirt noir. Une idée de qui ce pourrait être ?

— Seigneur ! a dit Miss Lana. Vous ne suspectez quand même pas un enfant.

— J'ai vu des meurtres commis par des enfants plus jeunes que Mo, a dit Starr. Les psys disent que ça vient de mauvais parents, mais qui sait ?

— Pauvres petits, elle a dit en me tapotant la tête.

La chaise du papa de Dale a raclé le plancher.

— Attends une minute, espèce de fumier de baratineur, il a marmonné.

— Macon ! a crié Miss Lana.

Mr Macon s'est levé en titubant, la figure tordue de rage.

— Y a rien à redire à comment j'élève mon garçon, il a fait, la voix pâteuse. Si c'est la faute à quelqu'un, comment il a tourné, c'est à sa mama. Pas vrai, Mo ? Pour qui elle se prend de me mettre à la porte de ma propre maison ?

— Miss Rose vous a mis dehors ? j'ai demandé. Dale le sait ? Parce que j'étais pas au courant.

— Mo, a dit Miss Lana. Chut.

Mr Macon a fusillé Starr du regard.

— Dale a besoin de rien et il aura rien de moi.

— Dites-moi, monsieur, est-ce que votre enfant est blond ? a demandé Starr. Il aime porter des t-shirts noirs ?

Mr Macon s'est élancé à travers la salle.

– Et alors ? Laisse mon garçon tranquille, il a dit en enfonçant un doigt dans la poitrine de Starr, qui a reculé légèrement, comme un chat. Que personne d'autre que moi s'avise de donner des ordres à Dale. C'est un bon garçon. Pas vrai que c'est un bon garçon, Mo ?

– Dale ? a demandé Starr en gardant les yeux sur Mr Macon, mais je savais qu'il s'adressait à moi. C'est ton copain, Mo, non ? Le gamin bizarre que j'ai rencontré la première fois où je suis venu ici ?

Je n'ai pas répondu.

Il s'est retourné vers Mr Macon.

– Où est votre fils maintenant ?

– Probablement à la maison avec sa mauvaise mère. Me mettre à la porte de ma propre maison après toutes ces années que je lui ai fait une vie en or...

– Oh, pour l'amour du ciel, s'est écriée Miss Lana, calant ses poings sur ses hanches. Cette maison est à Rose, pas à toi. C'est son père qui lui a léguée. Sans son nom et ses bonnes manières, on t'aurait mis au trou depuis des années. Tu ne lui as jamais rien donné d'autre que deux beaux gosses, une montagne de factures et un cœur pétrifié de chagrin.

Elle s'est tournée vers Starr.

– Je connais Dale depuis tout petit et je n'ai jamais vu d'âme plus douce que la sienne. Je ne peux même pas le *payer* pour tuer un serpent dans le jardin. L'idée qu'il ait pu tuer Jesse est grotesque. Je vous en prie, ne perdez pas de temps avec lui, et trouvez le meurtrier. Nous sommes morts d'inquiétude.

Starr l'a fixée pendant un instant.

— Miss Lana, j'ai besoin de parler à Dale et sa mère. Si vous les voyez, dites-leur, s'il vous plaît, que je serai chez Jesse Tatum tout l'après-midi. Si je ne les vois pas avant la fin de la journée, j'irai les trouver. Et quand le Colonel sera de retour, dites-lui que je dois aussi lui parler. Toi, il a continué en me regardant, ne touche plus à ma scène de crime. Quant à vous, monsieur, si vous m'enfoncez encore votre doigt dans le torse, vous vous réveillerez avec les menottes. Ai-je été clair ?

Comme nous n'avons pas répondu, il a souri.

— C'est bien ce que je pensais.

Et il s'est dirigé vers la porte.

13 – Ne m'appelle pas chéri

Miss Lana a chargé les déjeuners empaquetés sur la banquette arrière de l'Underbird, à côté de son éventail, et a ouvert la portière côté conducteur.

– *Tu vas vraiment conduire ?* j'ai dit en m'écartant de la voiture. On ne pourrait pas plutôt appeler Miss Rose ? Ou engager un chauffeur ?

– Il vaut mieux annoncer les mauvaises nouvelles en personne et je n'ai pas de chauffeur en ce moment, elle a répondu en se glissant derrière le volant. Tout le monde travaille ou est chez Jesse. En plus, j'ai déjà appelé Rose ce matin pour lui donner des nouvelles de l'état de Macon. De quoi lui faire passer le reste de la journée au jardin. Dale aura les fers aux pieds avant que je puisse la joindre à nouveau au téléphone. Ce jardin aura économisé à Rose une fortune en thérapie pendant toutes ces années.

— Et produit de bonnes tomates, j'ai ajouté. Mais quand même, tu ne peux pas…

— Mo, s'il te plaît, monte dans la voiture. Nous déposerons les déjeuners au passage.

Elle a orienté le rétroviseur vers le bas et appliqué une nouvelle couche de rouge à lèvres.

Je me suis glissée à l'intérieur.

— Miss Lana ?

— Oui, mon chou ?

— Je crois que je ferais mieux de conduire.

Elle m'a jeté un coup d'œil furieux, sa perruque dorée scintillant au soleil.

— Quel âge as-tu ?

— Onze ans, j'ai dit.

— Et *pourquoi* devrais-tu conduire ?

J'ai détourné les yeux.

— Parce que, Miss Lana, chacun sait que tu en es incapable.

Elle m'a gratifiée d'un silence glacial, sa personne entière exhalant le froid dans la chaleur de midi.

— Chacun ne sait rien du tout. Le fait que je n'aie jamais conduit ne signifie pas que je ne puisse pas le faire. Alors… Ce véhicule est nouveau pour moi. Où est le contact ?

Je me suis tassée dans mon siège, j'ai bouclé ma ceinture et me suis préparée à mourir.

— Juste là, j'ai marmonné en le montrant du doigt.

J'ai fermé les yeux alors qu'elle tournait la clé.

– Je suis prête à reculer, maintenant, si « chacun » veut bien le permettre, a dit Miss Lana en étudiant le levier de vitesses.

– L'Underbird est automatique, j'ai soupiré. Mets-le sur R.

– « R ? » elle a dit en appuyant sur l'accélérateur.

– Ça veut dire « *Reverse* », j'ai crié au-dessus du rugissement du moteur. Ne mets pas les gaz avant que…

Elle a enclenché « R » d'un coup. L'Underbird a fait un bond en arrière et on a dérapé à travers le parking en soulevant un nuage de gravier et de poussière. Seule notre collision avec un sycomore nous a empêchées de valser autour de la maison jusque dans le jardin de derrière.

– Tu vois ? elle a dit en levant le pied de l'accélérateur.

– D veut dire « *Drive* ». Cette fois, passe la vitesse avant d'accélérer. Comme ça…

Un tournoiement de roues et un nouveau jet de graviers ont mangé la fin de ma phrase, la crachant à travers le parking comme un boxeur crache des dents. On était en route.

À mon grand soulagement, Miss Lana maîtrisait à peu près l'Underbird quand nous avons bifurqué dans l'allée de Mr Jesse. Du moins, je l'ai cru jusqu'à ce qu'elle fonce droit sur la foule.

– Freine ! j'ai crié en plongeant au fond de la voiture et pressant à deux mains sur la pédale de frein.

– À table, chers amis ! elle a appelé alors qu'une branche de pin fouettait le pare-brise. Mo, lève-toi. Les gens vont penser que tu es toquée.

– Oui, m'dame, j'ai marmonné en m'essuyant les mains.

Dix minutes plus tard, nous étions reparties, en route pour chez Miss Rose.

– La maison de Dale est après ce virage, j'ai annoncé. Je le mentionne parce que tu voudras peut-être ralentir. En utilisant le frein...

Miss Lana s'est penchée sur le volant.

– Rose est déjà déprimée, alors nous allons lui apprendre la nouvelle avec douceur, elle a dit en levant légèrement le pied de l'accélérateur. Sois positive.

Elle a donné un coup de volant vers la gauche. Les pneus ont hurlé en dérapant sur l'asphalte, et la voiture a rebondi hors de l'allée jusqu'au parterre de pétunias de Miss Rose. Alors qu'on s'immobilisait, notre roue avant gauche sur la première marche de son perron, Miss Rose a laissé tomber sa serpe et s'est précipitée vers nous.

– « P » pour « Parking », j'ai suggéré alors que l'Underbird laissait échapper un sifflement inquiétant. J'ai ouvert ma portière et mis pied à terre.

– Rappelle-toi, a dit Miss Lana. Sois positive.

– Hé ! Miss Rose, j'ai dit en souriant. Je suis désolée que Mr Macon soit à nouveau soûl mais

au moins y a personne en prison pour le moment.
Ça, c'est positif.

— Mama, a crié Dale en déboulant au coin de
la maison. J'ai entendu des pneus. Lavender est là ?

— Bonjour, chers amis, a fait Miss Lana en ouvrant
sa portière aussi loin que la véranda le permettait.

Elle s'est extirpée de la voiture de profil en
tortillant son derrière jusqu'à l'arrière du coffre.

— Mince, a fait Dale. Je ne savais pas que vous
saviez conduire.

— Elle ne sait pas, a lâché Miss Rose, d'une voix
aussi plate que ses pétunias.

Comme son fils, Miss Rose a un sens très sûr
de l'évidence.

— Rose, a dit Miss Lana, sans vouloir te déranger,
il faut que nous parlions. Tu n'aurais pas un peu
de thé, par hasard ? Je meurs de soif.

Un demi-verre de thé glacé plus tard, nous repar-
tions tous les quatre à fond de train en direction de
chez Mr Jesse, Miss Rose au volant. Dale et moi
étions serrés l'un contre l'autre sur la banquette
arrière. Je pouvais le sentir trembler. J'ai pressé mon
épaule contre la sienne en essayant de diffuser mon
calme dans son corps par la force de ma volonté.

— Je sais juste que je vais en prison, il a murmuré.

— Nan, t'inquiète, j'ai répondu. Tu es mineur.
En plus, même si tu y vas, ce sera pas si mal. Tu
pourras mieux connaître la partie incarcérée de ta

famille. Et je t'apporterai les devoirs pour que tu ne prennes pas de retard à l'école.

— Super, il a marmonné. Des maths en taule — ma vie ne pourra pas être pire.

Il avait tort.

La vie de Dale est devenue bien pire au moment où l'inspecteur Starr a commencé à poser ses questions.

— Alors, tu avoues avoir volé le bateau ? a demandé le policier en sortant son calepin et en s'asseyant sur la rambarde de la véranda de Mr Jesse.

J'ai tiré mon carnet de ma poche et me suis installée à côté de Dale, sur la balancelle.

— Dale a rien volé, j'ai protesté.

— Voler est un concept tellement violent, a renchéri Miss Lana en déployant son éventail. Dale n'a pas dit qu'il avait volé le bateau de Jesse, il a dit qu'il le lui avait ramené.

— Exact, j'ai appuyé.

— Dale ? a dit Starr. Je te parle, fiston.

— Je... je suppose qu'on pourrait croire que je l'ai volé, mais je l'ai juste emprunté. Moi et un pote, on voulait aller pêcher, c'est tout.

— Pêcher n'est pas un crime, j'ai ajouté.

— Ça dépend quel permis on a, a rétorqué Starr.

Dale est devenu livide. C'est bien lui de s'inquiéter de se faire pincer sans permis de pêche après avoir avoué qu'il avait volé un bateau.

— Avec qui t'allais pêcher ?

— Moi, j'ai répondu, en épargnant à Dale d'avoir à me dénoncer.

— Dale, a dit Starr. Je te parle.

— J'allais le rapporter, a bredouillé Dale en regardant sa mère. Je *l'ai* rapporté.

Miss Rose a hoché la tête. Elle était assise dans le vieux rocking-chair branlant de Mr Jesse, les mains croisées sur ses genoux, calmes comme une prière. Mais je voyais bien qu'elle était inquiète.

— Quand l'as-tu rapporté ? a demandé Starr.

— Juste après que mon frère m'a invité avec Mo à chronométrer ses tours au Carolina Raceway. Hier. Le même jour où on vous a vu au bord de la piste avec Miss Retzyl.

— Quel bon garçon, a dit Miss Lana, tout sourire. Tu as ramené ce bateau avec toute la bonté de ton cœur, n'est-ce pas, Dale ?

— Non, m'dame, a dit Dale. Je l'ai ramené parce qu'on avait besoin de l'argent de la prime pour acheter des sandwiches à la mortadelle.

J'ai fait la grimace. Dale n'est pas taillé pour la vie criminelle…

— Parle-moi du bateau, a demandé Starr.

— Eh bien, Mr Jesse s'en servait à peine et je l'ai juste caché un peu en aval de chez lui. Il aurait pu le trouver s'il avait vraiment voulu.

Starr l'a fixé durement.

— Raconte-moi comment tu l'as ramené.

Dale a enfoncé ses mains dans ses poches. D'une certaine façon, ça le rapetissait.

— Ben, j'ai remorqué le bateau en marchant le long de la crique. Ensuite je suis allé à la maison de Jesse et j'ai frappé à la porte. Et Mr Jesse est venu et a dit : « Bonjour, Dale, comment va ta mère ? » Et j'ai répondu « Elle va bien, Mr Jesse. Et vous aussi, j'espère. J'ai une bonne nouvelle pour vous : j'ai retrouvé votre bateau. J'espère qu'il ne vous a pas trop manqué. » Et il a dit : « Pas du tout. Merci, fiston. Voilà ta récompense. » Et je suis parti.

Starr a levé les yeux de ses notes.

— Sans blague… C'était vraiment cordial.

— Sûr, a dit Dale. Mr Jesse était un homme vraiment cordial.

Starr s'est gratté un sourcil.

— Bon, disons que je suis un peu surpris, il a dit. D'après ce que m'ont dit les gens d'ici, il ne me semblait pas que Jesse Tatum était un type particulièrement cordial. Vous le trouviez cordial, Miss Rose ?

— Bien sûr que non. Dale Earnhardt Johnson III, arrête immédiatement ces idioties, elle a dit en faisant claquer ses mots comme un fouet. Tu dis la vérité à l'inspecteur Starr, et tu la dis *maintenant*.

— Oui, m'dame, a fait Dale.

Son menton a trembloté et il a regardé Starr.

— Peut-être que vous et moi on pourrait parler, il a dit. D'homme à homme.

– Quoi que tu aies à dire, dis-le, a repris sa mère d'une voix plus douce.

Il a détourné les yeux vers le jardin, posant son regard brûlant sur la voiture de Starr, comme s'il allait la décaper.

– D'accord, il a dit. J'ai remorqué le bateau à pied le long de la crique jusqu'au ponton de Mr Jesse et j'ai frappé à sa porte, comme j'ai dit. Mr Jesse est venu en pantalon et tricot de corps et il a soulevé le loquet et a ouvert la porte et…

Dale a pris une grande inspiration.

– … et il a dit : « Qu'est-ce que tu fais sur le pas de ma porte, espèce de vaurien d'avorton d'ivrogne ? »

Miss Rose était suffoquée mais Miss Lana a hoché la tête.

– C'est bien le Jesse que je connais, elle a confirmé.

La voix de Dale était basse.

– Ensuite il a dit : « Tu dégages tes fesses de gringalet parasite de chez moi avant que j'appelle les autorités. Et tu dis à ton père que si je le vois encore une fois sur mes terres, j'appelle aussi la police, et sans avertissement. »

« Alors j'ai répondu : "Je serais heureux de ficher le camp de vot' sale bout de marécage dès que vous payerez la prime que vous me devez pour avoir ramené vot' barque, espèce de vieille peau racornie. Et si vous avez un message pour mon père, z'avez qu'à lui apporter vous-même, si vous avez pas la pétoche."

« Alors il a dit : "Tu crois que j'vais claquer dix dollars sur la parole d'un rogaton de Macon Johnson ? Tu me montres où qu'il est mon bateau si tu l'as." Alors on a marché jusqu'à la crique et il a vu le bateau. Il m'a donné dix dollars et pas de merci et j'ai déguerpi.

Starr a hoché la tête.

– De quel côté tu es allé ?

– Par les bois.

– Qui était avec toi ?

– Personne.

J'ai levé la main.

– Même s'il avait quelqu'un avec lui – ce qu'y avait pas – c'était pas moi. Je peux dire mon alibi, si nécessaire.

Starr ne quittait pas Dale des yeux.

– Ne me mens pas, fiston. Il y avait deux paires d'empreintes là où tu as caché le bateau et encore deux paires à côté du ponton. Les tiennes et celles d'un adulte.

Deux paires d'empreintes ?

– Je te le redemande, a fait Starr. Qui était avec toi ?

– Personne, a répondu Dale, terrifié. J'ai pris le bateau et l'ai remonté le long de la crique. Je l'ai accroché juste là où vous l'avez trouvé.

– Là où il était quand tu l'as volé ? a demandé Starr.

— J'objecte, j'ai dit. Nous avons déjà établi que ce n'était pas techniquement un vol. C'était plus un emprunt-surprise entre voisins. Ne dis rien, Dale.

Starr s'est tourné vers Miss Rose.

— On dirait que Mr Jesse ne pensait pas grand bien de votre mari.

Elle a eu l'air très lasse, tout à coup.

— Personne ne pense grand bien de mon mari. Je ne peux pas dire que je leur donne tort.

— Où était-il la nuit dernière ?

— Il est rentré à la maison vers huit heures. Il est reparti peut-être trois heures plus tard. Je ne suis pas sûre d'où il venait et où il est allé.

— Est-ce qu'il avait bu ?

— Il a toujours bu, a répondu Dale. Laissez Mama hors de ça.

Starr a fait mine de l'ignorer.

— Quelle pointure fait votre mari ?

— Du 43, 43 et demi.

— Bon, eh bien voici la situation, a dit Starr. J'ai les empreintes de Dale et celles d'un adulte sur la scène de crime. Dale reconnaît avoir volé le bateau de Jesse Tatum. Votre mari avait bu et on n'a aucune idée d'où il se trouvait à l'heure du crime. Alors il va vous falloir remplir des blancs — à moins que vous ne vouliez appeler un avocat.

C'était maintenant au tour de Miss Rose d'avoir l'air effrayé.

— Je ne sais pas ce que je peux remplir comme blancs, elle a dit, mais je peux vous dire que Dale n'est pas un assassin.

Elle a jeté à son fils un regard qui aurait attendri une pierre.

— Un voleur, peut-être, mais pas un assassin.

— J'le jure, s'est écrié Dale, des larmes plein les yeux. J'ai rien volé. Et j'sais pas comment ces empreintes se sont emmêlées avec les miennes.

J'ai repensé à Dale retournant au bateau et à avant, au jour où il l'avait pris.

— Je sais, j'ai dit calmement.

J'ai étudié mes notes jusqu'à ce que tout le monde me regarde. Il faut savoir profiter d'une pause dramatique — c'est ce que dit Miss Lana.

— Les empreintes que vous avez trouvées sont celles de Lavender.

— De Lavender ? a crié Miss Rose, en attrapant le bras de Miss Lana pour se soutenir.

Dale a cligné des yeux puis s'est frappé le front.

— C'est vrai. Ce sont les chaussures de Lavender qui ont fait ces empreintes, sauf qu'il était pas dedans. Quand j'ai emprunté le bateau, j'ai emprunté les sandales de Lavender. Elles sont énormes. Comme ça, si Mr Jesse voyait mes empreintes, il penserait que quelqu'un d'autre avait pris son bateau.

Starr a cligné des yeux à son tour, perplexe.

— Attendez, Lavender est…

— Mon frère, a dit Dale. Le pilote de course.

182

– Quelle pointure...

– Du 46, a coupé Miss Rose.

Starr a fixé Dale, l'air concentré.

– Ça expliquerait pourquoi les empreintes étaient si peu profondes. Tu ne dois pas peser plus de, quoi, trente kilos ?

– Trente-deux, a marmonné Dale.

Comme je l'ai dit, Dale est l'avant-dernier plus petit de la classe, avant Salamandre. Il est susceptible.

– Dale et moi, on est très occupés, j'ai dit à Starr. On n'a pas eu le temps de grandir. L'important, c'est que Dale n'avait pas de complice à part une paire de sandales.

– Et où sont ces sandales maintenant ?

– Au café, j'ai répondu. À côté du distributeur de boissons.

– J'en aurai besoin, il a dit en dévisageant Dale d'un air plus amical. Dale, j'aimerais que tu sortes d'ici à l'arrière de ma voiture. D'ailleurs, viens là.

Dale s'est avancé timidement alors que Starr sortait une paire de menottes.

– Tends les mains.

– Alors là, c'est moi qui objecte ! s'est écriée Miss Lana.

– Nous voulons un avocat, a dit Miss Rose en se plaçant devant Dale.

– Je n'accuse Dale de rien, a dit Starr. Si vous le laissez repartir avec les menottes, je les lui enlèverai dès que nous arriverons au café. Dale n'est pas l'assassin, je sais ça. Mais il y a une chance que l'assassin soit en train d'observer cette enquête et, s'il croit que Dale est notre suspect, il pourrait commettre une erreur.

— Sexiste, a sifflé Miss Lana. L'assassin pourrait très bien être une femme.

— Peut-être, a dit Starr. D'ailleurs, ce pourrait même être une femme avec une affreuse perruque.

Miss Lana a porté vivement la main à sa tête.

— Je sais que c'est beaucoup demander, Rose, mais cela pourrait vraiment être utile. J'aimerais que les gens croient que j'ai relâché votre fils sous votre surveillance. Toi, Dale, j'ai besoin que tu fasses voir les menottes quand on passera en voiture.

— Une mise en scène, j'ai dit dans un souffle. Excellent.

— Je ne vais pas vous mentir, Rose, a continué Starr. Nous n'avons pas beaucoup de pistes. Si vous acceptez cela, nous veillerons sur Dale comme s'il était un des nôtres jusqu'à la fin de l'enquête. Et nous allons espérer que le véritable assassin de Mr Jesse commette une erreur — soit parce qu'il pensera qu'il est hors de cause, soit parce qu'il n'aimera pas qu'on attribue à quelqu'un d'autre le mérite de son acte. Dans un cas comme dans l'autre, ce sera à notre avantage.

Dale m'a dévisagée, ses yeux bleus pleins de questions.

— Si tu es partant, je le suis aussi, j'ai dit.

— Qu'est-ce que j'aurai à faire ? a-t-il demandé.

Starr lui a adressé un bref sourire.

— Fais ce que tu fais d'habitude quand tu n'escroques pas de vieux messieurs acariâtres de menue monnaie en te mettant en travers de mon enquête. Nous nous chargeons du reste.

Il a jeté un coup d'œil à sa mère.

— Mon adjointe loue une chambre chez Priscilla Retzyl et moi je suis logé à Greenville. Entre nous deux, nous sommes là vingt-quatre heures sur vingt-quatre, sept jours sur sept. Qu'est-ce que vous en dites ?

Miss Rose a regardé son fils.

— Chéri ?

Dale a bombé le torse.

— Ne m'appelle pas chéri, il a dit, et il a tendu les mains.

14 – L'adjointe Marla

Dale est devenu instantanément célèbre. En fait, on ne parlait plus que de lui : Dale agitant la main depuis l'Impala de Starr, menottes luisantes aux poignets... Dale suivi, dans la Pinto, par Miss Rose, Miss Lana et moi-même... Dale remis à Miss Rose avec ordre de ne pas quitter le pays... Comme s'il avait quelque part où aller...

La célébrité l'a transformé. C'est un gamin terrifié qui est monté dans l'Impala ; il en est descendu en rock star. Si Miss Rose ne l'avait pas déjà privé de sorties, il se serait probablement organisé un défilé en son propre honneur.

Son statut de faux suspect avait un autre avantage : Attila a perdu son ascendant sur nous. Dale soi-disant arrêté, elle ne pouvait plus le dénoncer. Je lui ai posté l'addition qu'elle n'avait pas payée.

Pendant ce temps, Miss Lana entrait dans le silence. Le samedi, elle a fermé le café et accroché une couronne à la porte.

— Je n'aime pas ça, je lui ai dit en finissant mes céréales. Si le Colonel rentre et voit cette couronne, ça va lui causer une peur bleue.

Elle a levé les yeux des papiers étalés à travers la table de la cuisine. La NPR[1] fredonnait un fond musical. Elle a dit :

— Il n'y a pas de mal à ce que le monde remarque la mort de quelqu'un, mon chou. En plus, je ne peux pas écrire un éloge funèbre pendant que je nourris toute la ville. Et j'ai besoin de mon sommeil réparateur. Demain, nous serons au centre de l'attention, à l'enterrement.

— Comment avance l'éloge ? j'ai demandé en glissant un coup d'œil à sa feuille.

Il ressemblait à ma propre autobiographie : faux départs, griffonnages, biffures…

— Lentement, elle a avoué. Pour le moment, je fais la liste des choses que Jesse m'a apprises. Tu aimerais peut-être en faire autant ?

— Ça me paraît… bien, j'ai dit. Je le ferai.

J'ai tournicoté jusqu'à ce qu'elle lève à nouveau les yeux. Elle a posé son stylo, jeté un coup d'œil à la pendule et inspiré profondément. Son visage était tiré et ses mains tremblaient légèrement. J'ai

1. National Public Radio.

reconnu les symptômes : anxiété du devoir à la maison. Dans peu de temps elle aurait une envie irrépressible de nourriture salée. Puis de chocolat.

– Tu as eu des nouvelles du Colonel ?

– Non, pas encore, Mo, elle a dit en aplatissant tous les aigus de sa voix. Mais il n'est parti que depuis deux jours.

– Mais tu crois qu'avec un assassin en liberté…
Elle a souri.

– Ne nous inquiétons pas à moins qu'il n'y ait une bonne raison. Je me demandais si tu me rendrais un service… Priscilla Retzyl a proposé de faire l'arrangement floral pour la cérémonie de Jesse et je lui ai dit que je passerais lui apporter des glaïeuls.

J'ai senti ma bouche s'assécher. Pitié, mon Dieu, pas un autre trajet en voiture…

– L'Underbird n'a pas récupéré de notre dernière sortie, je lui ai dit. Elle est encore chez Lavender. En plus, Joe Starr tourne autour de Miss Retzyl comme une mouche autour du sucre. S'il te voit conduire, tu iras rejoindre la famille de Dale en cabane.

Elle a ri.

– J'ai juré de ne plus conduire, Mo. Je ne suis pas douée pour ça. Mais ce matin, j'ai coupé un panier de glaïeuls pour Priscilla. Pourrais-tu les lui apporter ? Ils sont sous la véranda.

Moi ? Rendre visite à un professeur ? Le bout de mes doigts et de mes orteils s'est mis à me picoter. Miss Lana a continué :

– Miss Lacy Thornton va passer ici dans quelques minutes pour sa promenade du matin. Tu pourrais y aller à pied avec elle.

Voilà un autre côté des petits patelins : tout le monde connaît l'emploi du temps de tout le monde. Nous tournons les uns autour des autres comme des planètes autour d'un soleil invisible.

– Oui, m'dame, j'ai soupiré.

– Parfait. Je vais prévenir Priscilla de ta venue.

J'ai rincé mon bol à céréales alors que la voix de l'annonceur radio chuchotait à travers les ondes. « Le premier ouragan de la saison se forme dans l'Atlantique. On l'appelle Amy. Espérons que la tempête s'épuisera en mer. Et maintenant, la *Sonate au clair de lune* de Beethoven, composée par Ludwig à l'âge de trente et un ans. »

– Éteins cette radio, tu veux bien, mon chou ? a demandé Miss Lana. La NPR est trop bavarde ce matin.

J'ai tourné le bouton et suis sortie.

Peu après, Miss Retzyl apparaissait sous sa véranda, sous la douce lumière mouchetée d'une treille.

– Bonjour, Mo, elle a dit. Tu vas bien, j'espère. Ces glaïeuls sont magnifiques ! Mettons-les dans de l'eau.

J'ai posé le pied dans la tanière de la prof et attendu que mes yeux s'habituent à la pénombre.

À ma surprise, son salon ne ressemblait en rien à la salle d'assemblée de l'école. Des chaises en rotin et une causeuse encadraient un tapis oriental discret, et un ventilateur brassait paresseusement l'air depuis son haut plafond blanc. Alors qu'elle prenait mon panier, quelque chose a remué dans un coin, à côté d'une grande fougère.

— Mo, voici l'adjointe Marla Everette, a dit Miss Retzyl en se dirigeant vers la cuisine. Marla, voici une de mes meilleures élèves, Mo LoBeau.

Une de ses meilleures élèves ? J'ai senti une poussée de confiance en moi.

L'adjointe Marla s'est penchée vers la lumière, ses yeux gris scintillant au-dessus de moi. Elle avait brossé ses courts cheveux bruns en arrière.

— Détective Mo LoBeau, je présume, elle a dit avec un sourire qui adoucissait son visage large. Comment allez-vous ?

— Très bien, j'ai dit avec un hochement de tête professionnel. Et vous également, j'espère.

Elle s'est assise pour prendre une tasse de café sur la table. Un forsythia se balançait derrière la fenêtre, projetant une mosaïque d'ombres légères à travers son visage et son chemisier en lin épais.

— Puis-je te servir quelque chose, Mo ? a appelé Miss Retzyl depuis la cuisine. Un verre de limonade ? Je viens d'en faire un pichet.

— Oui, merci, j'ai dit en m'asseyant. Il fait plus chaud que dans le fer à friser du diable, par ici.

L'adjointe Marla sirotait son café.

– Joe dit que vous avez emballé l'arme du crime pour moi, je lui ai dit. Merci.

– *Qui* a dit ça ? a demandé Miss Retzyl en entrant avec deux grands verres de limonade.

– L'inspecteur Joe Starr, j'ai précisé rapidement. C'est ce que je voulais dire, en tout cas.

Elle m'a tendu une serviette et s'est assise. J'ai hésité, puis ai aplati la serviette sur mon genou. Quand Miss Retzyl a placé la sienne sur un guéridon et posé son verre dessus, j'ai prestement fait de même. Puis j'ai parcouru la pièce des yeux.

– Jolie maison. Dale n'arrivera pas à croire que vous m'avez laissée entrer ici.

Miss Retzyl a souri.

– Je suis contente qu'elle te plaise, Mo.

– Je vois que vous avez le câble.

Je me suis penchée pour essayer de voir dans le couloir.

– Où sont vos encyclopédies ? Je sais que vous en avez.

– En haut, elle a répondu. Mo, l'adjointe Marla me parlait de son travail. Tu pourrais trouver cela intéressant. Elle s'occupe de la communication de l'inspecteur Starr et l'assiste aussi sur le terrain.

L'adjointe sirotait toujours son café.

– Comme je disais, j'aide principalement aux enquêtes d'homicides, elle a dit. Mais nous nous occupons aussi d'autres affaires. Cambriolages, contrefaçons, enlèvements. Même des disparitions de temps en temps, si on est vraiment inoccupés.

Les mots ont bondi sur moi comme un chat sauvage.

– Des disparitions ?

– Vraiment ? a dit Miss Retzyl en inclinant la tête. Joe n'a jamais mentionné cela.

– C'est rare, a précisé l'adjointe Marla. Nous avons généralement autre chose à faire. Et c'est formidable quand on résout une affaire et qu'une personne disparue retrouve sa famille. Mais ça peut être dur quand ça se passe mal, surtout lorsqu'il s'agit d'un enfant.

J'ai recraché un glaçon dans mon verre.

– Il vous arrive de rouvrir des dossiers ?

Elle a souri, ses yeux luisants, et s'est levée, grande et mince. Ses sandales ont murmuré à travers le plancher.

– Je crains que non. J'aimerais qu'on en ait le temps. Il faut que j'y aille, Priss, mais je devrais être rentrée avant la nuit.

Miss Retzyl a hoché la tête.

– Ça doit être dur de travailler le week-end.

Elle a haussé les épaules.

– C'est aussi bien. Personne ne m'attend à la maison. Veux-tu que je t'emmène en voiture, Mo ?

Avant que je puisse répondre, Miss Retzyl s'est levée.

– Ne vous en faites pas, Marla. La maison de Mo est sur mon chemin pour aller à l'église. Je la ramènerai.

– À demain à l'enterrement, alors, m'a dit l'adjointe Marla, et elle a disparu.

Pauvre Miss Retzyl, j'ai pensé alors que s'éloignait la voiture de l'adjointe. Il n'y a que deux rues dans notre patelin et elle ne fait pas la différence entre celle qui mène au café et celle qui mène à l'église. Elle n'a vraiment pas le sens de l'orientation. Attends que je raconte ça à Dale.

15 – Ruse spirituelle

Manifestement, Mr Jesse était bien plus populaire mort que vivant.

Arrivés tôt pour la cérémonie, Lavender, Dale et moi avons trouvé le parking de l'église déjà plein. Les gens affluaient vers le bâtiment d'un blanc éclatant en files affairées, zigzaguant comme des fourmis vers un morceau de sucre. Les fenêtres de l'église s'arquaient comme des mains en prière et le cimetière serpentait vers la crique.

Lavender a ajusté sa cravate bleue dans le rétroviseur de son pick-up alors que Dale consultait celui côté passager et passait ses doigts dans ses cheveux.

— Cette cravate va bien avec ce qui reste de ton œil au beurre noir, Lavender, ai-je constaté.

— Merci, Mo. Tu es bien jolie aussi.

J'ai lissé ma robe – noire avec des poches – tout en ignorant Attila Céleste qui poussait la portière de la Cadillac blanche de sa mère et regardait de notre côté.

– Hé ! Dale, elle a dit en allongeant les syllabes. Tu es chic.

C'était vrai. Dale avait choisi son costume funéraire style hors-la-loi : pantalon noir, chemise noire, tongs noires, cravate noire. Attila a balancé ses jambes raides comme des bâtons hors de la voiture et rejeté sa chevelure en arrière. Dale s'est tourné vers elle comme l'aiguille d'une boussole vers le nord et a saisi sa portière.

– Tu es vraiment charmant, elle a insisté. Désolée que tu n'aies pas pu venir à ma fête hier soir.

– Moi aussi, il a dit.

Elle l'avait invité ? Et il ne me l'avait pas dit ? Mon estomac s'est soulevé comme une carpe morte.

Elle a souri.

– Et Dale, je suis désolée pour... avant.

Avant ? Comme quand elle avait essayé de m'escroquer de mes économies et rendu Dale à moitié mort de peur ? Comme avant qu'il soit le gamin le plus célèbre de Port-Tupelo ?

Dale a rougi.

– Pas grave. Là, c'est notre l'église, à moi et Mama, il lui a dit comme si elle le savait pas déjà. Mama joue au piano et moi je chante. J'espère que tu vas aimer.

– Je ne sais pas comment tu fais pour te lever devant tout le monde et faire ça, elle a dit d'une voix devenue franche. C'est tellement difficile.

Dale s'est dressé fièrement sur ses orteils.

— Chanter, c'est comme piloter un bolide. Tu te prépares du mieux que tu peux, tu te mets en ligne et tu roules jusqu'à ce que le drapeau à damier signale l'arrivée.

La mère d'Attila s'est dandinée vers eux.

— Ajuste donc ta jupe, Anna, elle a dit en décochant à Dale un regard en lame de rasoir.

Elle a entraîné sa fille, et lui a titubé vers nous comme un somnambule. J'ai enfoncé mon poing dans son bras.

— Hé ! il a fait en grimaçant. Qu'est-ce que je t'ai fait ?

Pas la peine d'expliquer.

— Tu chantes vraiment aujourd'hui ?

Il a hoché la tête, l'air content.

— Autant que je sache, c'est la première fois qu'un suspect se produit en solo aux funérailles du cher disparu. Mama n'avait pas le temps de trouver quelqu'un d'autre, il a ajouté alors que les jumelles chevelues déboulaient dans une Mustang rouge.

Lavender a agité la main, mais, alors qu'elles le contournaient à fond de train, il a enfoncé sa main dans sa poche. Pauvre Lavender. D'abord une voiture détruite. Maintenant ça.

— Elles ne t'ont sans doute pas reconnu, j'ai menti. Je suis quasiment certaine qu'elles ne peuvent pas conduire et penser en même temps.

Il m'a fait un clin d'œil sans entrain puis il a regardé son frère.

– Je n'arrive toujours pas à croire que Mama t'ait laissé repartir menotté de chez Mr Jesse, il a dit en secouant la tête.

– Dale a un garde du corps, voilà pourquoi, j'ai dit.

– Ouais, a fait Dale. J'ai une espèce de nabot qui transpire beaucoup. Mo l'a repéré derrière une azalée. On l'appelle Phil en Civil.

– Un garde du corps ? Tu es une vraie célébrité, ma parole. Pas étonnant que les filles soient après toi. Je t'envie, petit frère, a dit Lavender en regardant les jumelles s'accrocher chacune à un bras de Tinks Williams et se diriger vers l'église.

– Maintenant, je ne pourrai plus sortir avec une fille même si ma vie en dépendait.

– Mais si, j'ai dit. Moi, je sortirai avec toi – dans sept ans, pas plus.

Il a souri.

– Merci. Hé, je ferais mieux d'aller parler à Sam, pour savoir où il en est avec la voiture. On se retrouve après le service.

Alors qu'il se frayait un chemin à travers la foule, Skeeter et Sal sont arrivées à notre hauteur.

– L'amie de Mr Jesse et son mari viennent de se garer, a dit Skeeter avec un hochement de tête vers une berline noire.

– Bien joué, j'ai dit, en évitant de regarder la femme boulotte en robe à fleurs qui descendait de la voiture. Merci.

Dans l'église, la plupart des bancs étaient occupés. Miss Rose était assise au piano à jouer de vieux hymnes.

– Mama a l'air d'un ange, a murmuré Dale.

Elle en avait aussi la voix alors qu'elle interprétait des prières pour Mr Jesse.

On s'est faufilés au premier rang, à côté de Miss Lana. L'énorme glace derrière le piano me donnait une vue sur tout le monde dans mon dos – toute la ville et puis d'autres encore. Mes yeux se sont attardés sur les inconnus alors que je balayais la foule du regard à la recherche de ma Mère d'Amont. Comme personne ne me ressemblait, j'ai fait un deuxième balayage, en priant pour que le Colonel arrive, en uniforme et sa casquette sous le bras.

Pourquoi était-il toujours parti ? Pourquoi n'appelait-il pas ?

– L'assassin doit être ici, a chuchoté Dale.

– Starr le pense aussi.

L'inspecteur, en costume gris acier, chemise blanche impeccable et cravate noire, était assis au tout dernier rang, Miss Retzyl à son côté.

Les bruissements ont cédé la place au silence et le révérend Thompson est monté au pupitre, son habit noir se gonflant derrière lui. J'ai sorti mon bloc-notes de ma poche alors qu'il commençait à prier.

Puis Miss Lana est montée en chaire, l'air majestueux dans sa robe noire. Elle se tenait debout, forte et funèbre, en attendant notre attention.

– Mr Tatum était notre voisin, elle a commencé. Il partageait sa vie avec nous, il partageait ses repas avec nous, il est parti sans dire au revoir.

Et là est arrivée sa ruse spirituelle.

– Voici notre chance de lui dire au revoir et de nous dire les uns aux autres ce que nous avons appris de Mr Jesse. Le Livre dit qu'un enfant nous conduira, alors nous commencerons par Mo.

Quoi ?

Quand Miss Lana m'avait demandé de réfléchir à ce que j'avais appris de Mr Jesse, j'avais pensé que c'était juste un de ces conseils du genre « Marche face à la circulation » ou « Ne mets pas tes coudes sur la table ».

Elle a souri avec bonté.

– Dis ce qui est dans ton cœur, mon chou.

Parfois, je pourrais la tuer. Mais alors, qui est-ce que j'aurais dans ma vie ?

Je me suis tournée vers l'assistance. Lavender était assis sur le banc du fond. Attila était à ma gauche ; la maîtresse de Mr Jesse à ma droite. Grand-mère Miss Lacy Thornton partageait un banc avec Skeeter et Salamandre. Une cohorte d'inconnus, dont Phil en Civil, se massaient à la porte.

– Je suis Mo LoBeau des Détectives Desperados, j'ai commencé. J'étais habituée à Mr Jesse et il va me manquer. Je suis désolée qu'il soit mort mais contente d'avoir trouvé l'arme du crime.

– Bien, a chuchoté Dale.

– Une chose que j'ai apprise de lui est : même si tu es pingre, donne un bon pourboire. Enfin, j'aimerais dire que si tu es l'assassin, j'ai continué en parcourant l'assemblée des yeux, les Détectives Desperados te traqueront comme le chien que tu es. Merci.

– Du fond du cœur, a commenté Miss Lana. Maintenant tu peux appeler quelqu'un d'autre.

– Pas moi, a chuchoté Dale. Choisis un vrai suspect.

Un suspect ? Génial…

– La dame au double menton avec le mari jaloux, j'ai dit en indiquant la maîtresse de Mr Jesse.

J'ai fait un clin d'œil à Lavender et me suis rassise.

– Moi ? elle a bafouillé alors que la foule se tournait vers elle. Je connaissais à peine Jesse Tatum et mon mari n'a pas une once de jalousie en lui, elle a dit. Nous étions à un concours de *shag*[1] à Myrtle Beach le jour où Jesse est mort. Tout ce que vous avez entendu d'autre est un mensonge.

J'ai griffonné une note sur mon calepin : *Demander à Skeeter de vérifier son alibi.*

Elle a désigné Anna Céleste, qui s'est levée, lissant sa robe d'été bleue.

– Mr Jesse m'a appris à m'habiller soigneusement parce que les gens bavardent, béni soit son cœur. Sally Amanda ?

---

1. Danse emblématique des États de Caroline, qui s'apparente au swing. (N.d.T.)

Sal s'est levée, son visage encadré par un halo de boucles serrées.

– Je le connaissais à peine. J'appelle Dale, elle a dit en rougissant.

– *Moi ?* il s'est étranglé.

– Désolée, Dale, j'avais oublié que tu pouvais être l'assassin. Puis-je avoir une seconde chance ? J'appelle Thes.

Thes a sauté sur ses pieds, sa figure ronde rouge et luisante. Il a desserré son nœud de cravate.

– Tout le monde pense que Mr Jesse était rapiat, il a dit. Mais c'est faux. Chaque samedi soir, il glissait cent dollars sous la porte de l'église. Il l'a fait pendant onze ans, de ce que j'ai pu voir. Même par gros temps.

L'église est entrée en éruption, comme une ruche d'abeilles désorientées. Dans la glace, j'ai remarqué Joe Starr penché en avant, une main sur le banc de devant, en train d'étudier la foule.

– Quoi ? criait M. le maire Little. Jesse Tatum faisait des donations ?

– C'est vrai, a fait Thes, je l'ai vu.

– Merci, Thes, a crié le révérend Thompson en ouvrant grand les bras. Prions maintenant, il a tonné au-dessus du brouhaha.

J'ai regardé dans la glace. Tout le monde dans la pièce avait la tête baissée.

Tout le monde sauf moi, et Joe Starr.

À la fin de la prière, Dale s'est rendu au piano, a fermé les yeux et s'est mis à chanter.

Amazing Grace a raison[1]. Quand Dale chante, même le vent s'arrête pour écouter.

Alors que mourait sa dernière syllabe cristalline, l'assistance s'est levée et s'est dirigée vers la porte en roucoulant comme un vol de colombes. Moi, par contre, j'ai suivi Thes. Dans la galerie du chœur, une main s'est glissée hors de l'ombre.

— Pssst, a sifflé l'adjointe Marla. Par ici.

— Hé ! madame l'adjointe, j'ai dit en regardant Starr disparaître dans le bureau du révérend Thompson.

Sa poigne était froide contre ma peau. J'ai tordu mon bras contre son pouce, comme Mr Li me l'avait appris, et me suis dégagée.

— Vous m'avez fait peur, j'ai dit.

— Désolée.

Elle a souri, tandis que Starr refermait la porte derrière lui.

Le motif de son ensemble d'été cintré se fondait dans les ombres en losange des petites fenêtres de la galerie. *C'est une bonne guetteuse*, j'ai pensé. *Elle sait se cacher.*

— Écoute, elle m'a dit, il m'a semblé que tu voulais me dire quelque chose, hier, chez Priscilla. Je regrette d'avoir dû partir si vite. Est-ce que tout

---

1. Référence au vers de cet hymne célèbre : « *How sweet the sound…* /Quelle douce voix… » (N.d.T.)

va bien pour toi ? Les enfants s'intéressent rarement aux vieux dossiers de disparition, même s'ils sont détectives.

Ne lui dis pas, a susurré une voix en moi. *Mais pourquoi pas ? Tout le monde, ici, est au courant.* J'ai répondu :

— Je pensais à ma Mère d'Amont. Elle a disparu il y a des années, et depuis je suis sur sa piste. C'est comme ça que je suis entrée dans la profession de détective.

— Alors c'est ça, ton affaire ancienne : ta mère, elle a dit en me dévisageant avec des yeux tendres. C'est dur. Je suis désolée, Mo, je ne m'occupe pas vraiment des affaires non élucidées. Mais…

J'ai haussé les épaules.

— C'est pas grave, j'ai des indices en main.

— Tu ne m'as pas laissée finir, elle a dit. Nous ne nous occupons pas d'affaires anciennes, mais si jamais il y a une information *spécifique* que je pourrais te fournir, ou si tu as besoin de discuter de tes hypothèses, viens me trouver. Je ferai ce que je peux. Par entraide professionnelle.

Elle a souri et m'a fait un clin d'œil.

— Seulement, ne dis rien à mon chef, d'accord ?

Entraide professionnelle ? Pour moi ?

— Merci, j'ai répondu.

Elle a disparu à nouveau dans les ombres et j'ai continué vers le bureau du révérend Thompson.

– Bonjour, j'ai dit en ouvrant la porte. Excusez mon retard.

Avant que Starr ne réagisse, le révérend Thompson m'a fait signe d'entrer.

– Entre, Mo. Nous répondons juste à quelques questions pour l'inspecteur Starr.

– À propos des contributions de Mr Jesse, a ajouté Thes.

– Merci, Révérend, j'ai dit en prenant place à côté de mon collègue détective.

Starr s'est éclairci la voix.

– Vous dites que toutes les contributions de Jesse étaient en espèces ?

– Des billets de cent dollars, a dit le révérend Thompson. Je ne savais pas de qui elles venaient jusqu'à récemment, et je n'ai jamais essayé de le découvrir. La première est arrivée avec un mot.

J'ai ouvert mon carnet d'indices.

– Un mot ? Vous l'avez encore ?

Starr a fait cliquer son stylo et m'a fusillée du regard. Il avait l'air élégant en costume – amidonné, repassé et lustré. Certaines personnes ont l'air d'être nées sur un cintre. Pas moi. J'ai plutôt l'air d'être née dans une sécheuse.

– Mo, a dit Starr, tu peux être présente à mon entretien mais tais-toi. Sinon j'évacuerai la salle. Compris ? Avez-vous encore le mot de Jesse Tatum, Révérend ?

J'ai levé les yeux au ciel. C'était *ma* question.

– Non, a répondu le révérend Thompson. Mais je peux vous dire ce qu'il contenait : « Gardez le silence sur cet argent ou le reste ira aux épiscopaliens. »

Les épiscopaliens ?

– Cela vous a-t-il frappé comme étant étrange ? Jesse Tatum laissant de l'argent ici ?

– Oui. Jesse ne venait jamais à notre église, même en tant que visiteur.

– Même pas quand il y avait des repas gratuits, a ajouté Thes.

– Mais la Grâce se manifeste, a dit le Révérend. Il se peut que Jesse ait été croyant sans vouloir aller à l'église. Ou bien qu'il se soit senti coupable de quelque chose et ait soulagé sa conscience en glissant de l'argent sous la porte.

– Thes, raconte-moi la première fois où tu l'as vu faire, a demandé Starr.

Thes a jeté un coup d'œil à son père, qui a approuvé de la tête.

– C'était un accident. Mon chat Spitz était encore sorti de la maison et je le cherchais.

– Et tu as aperçu Jesse Tatum… ?

– Je l'ai vu s'approcher en douce au clair de lune et glisser une enveloppe blanche sous la porte. Après ça, j'ai surveillé la porte pendant deux semaines. C'était bien lui.

– Qu'est-ce que vous avez fait de cet argent ? a demandé Starr au révérend Thompson.

Le Révérend a souri.

— D'abord j'en ai remercié Dieu. Puis je l'ai mis à la banque. Nous avons acheté de la peinture pour le sanctuaire, rénové le baptistère, réparé le toit. Vous pouvez vérifier nos comptes.

— Ce ne sera pas nécessaire. De quelle somme parlons-nous ? En tout.

Le révérend Thompson a sorti sa calculatrice, tapé quelques chiffres et sifflé.

— Disons onze ans... environ cinquante-sept mille deux cents dollars.

J'ai avalé ma salive et articulé :

— D'où Mr Jesse tenait tant d'argent ?

Joe Starr a refermé son calepin dans un claquement sec.

— Bonne question. D'où, en effet ?

Cette nuit-là, j'ai pris mon cahier et mon stylo.

Chère Mère d'Amont,
La mort fait réfléchir. Chacun a sa façon de croire.
Le Colonel dit que Dieu s'est reposé le dimanche, alors il le fait aussi. Il se promène dans les bois ou s'allonge dans sa couchette. Il dit que si Dieu a besoin de lui, Il sait où le trouver. Miss Lana, elle, croit en bien traiter les gens. Elle va généralement à l'église pour les fêtes — à Pâques, où elle porte un nouveau chapeau, et à la veillée de Noël, pour pleurer quand Dale chante « Douce Nuit ».
Dale va à l'église parce que Miss Rose le lui demande. Je vais parfois lui tenir compagnie et entends des histoires

sur le Moïse d'origine. Miss Rose joue du piano. Elle s'assied avec Dale et Grand-mère Miss Lacy Thornton, dont la voix sonne aussi juste qu'un portail rouillé. La mienne est comme un gloussement de dinde engoncé dans un corset mais personne ne m'a demandé d'arrêter de chanter, alors je ne me gêne pas.

Lavender, avec qui je me marierai un jour, croit en le zen NASCAR, que je le soupçonne d'avoir inventé. « La voiture est un corps », il dit. « Le pilote est la conscience qui entre et sort de la circulation. Et le Zen est le Tout − piste, voiture, soi-même, les autres pilotes. Tu te concentres sans penser à gagner », il dit. « Tu le sens. C'est une des raisons pour lesquelles j'adore les courses de voitures. »

Et toi, en quoi crois-tu ? Dis-le-moi.

Si tu te demandes pour moi, je crois, comme Miss Lana, en bien traiter les gens. Et, comme le Colonel, je crois que Dieu peut me trouver.

Baisers,

Mo

P.-S. : Le Colonel n'a toujours pas appelé et aujourd'hui ça fera bientôt trois jours. Miss Lana dit de ne pas s'inquiéter, qu'elle s'en occupe. Je suis quand même inquiète. Où est-il ? Pourquoi nous laisser quand il y a un assassin qui rôde ? Il doit avoir une bonne raison, mais quelle raison l'emporte sur veiller à notre sécurité ? Si tu le vois, s'il te plaît, demande-lui d'appeler à la maison.

16 – Le blues de Lavender

L undi matin, le Colonel n'avait toujours pas appelé.

– Il faut faire quelque chose, j'ai dit à Miss Lana alors qu'on remontait l'allée de graviers vers le café.

– Je m'en occupe, Mo. Ne t'inquiète pas.

Elle gardait son air détendu mais je savais d'après la faiblesse de son sourire qu'elle aussi s'inquiétait.

Au café, où les donations de Mr Jesse étaient le sujet *du jour*, les rumeurs se déchaînaient : Mr Jesse avait gagné à la loterie au Nord... Mr Jesse avait des millions dans une banque suisse... Les baptistes avaient trouvé moyen de berner les épiscopaliens...

Dale et sa mère sont arrivés en milieu de matinée, encore luisants de leurs efforts de jardinage.

– Mama me donne du temps libre pour bonne conduite, il m'a annoncé en traînant un seau de concombres dans la cuisine. Tu veux aller chez Lavender et ensuite chercher des indices ?

– Seulement si tu promets de ne pas rouler des mécaniques ni de te tripoter les cheveux, j'ai dit. C'est embarrassant. Je peux y aller, Miss Lana ?

Elle a approuvé de la tête et rempli trois gobelets en polystyrène de thé glacé.

– Dis bonjour à Lavender pour moi et ne reste pas trop longtemps. Il travaille sur sa voiture, j'imagine.

En fait, non. Nous l'avons trouvé chez lui, les yeux ensommeillés et les cheveux en bataille.

– Hé ! j'ai dit alors qu'il ouvrait la porte. Miss Lana t'envoie du thé glacé.

– Qu'elle soit bénie, il a dit en prenant un gobelet et s'écartant pour me laisser entrer.

L'état de sa maison m'a choquée. Lavender garde généralement son intérieur soigné et lumineux. Ce jour-là, le tapis était souillé de boue et des chaussettes en boule traînaient près de la porte de la cuisine. La cravate de cérémonie de la veille pendait à une poignée de porte et les persiennes tirées laissaient filtrer des rais de lumière poussiéreux dans la pièce.

– Il est presque dix heures, j'ai dit. T'es malade ?

Il s'est étiré, les muscles de son bras se tordant comme des câbles, et a enfoncé son t-shirt jaune pâle dans son jean délavé.

– Je suis juste lent au démarrage, ce matin, Mo. Je vais très bien.

Dale a jeté un coup d'œil à la ronde.

— C'est les jumelles qui ont fait ça ? il a demandé.

— Les jumelles ne se sont pas manifestées depuis l'accident, petit frère.

— Ça ne m'étonne pas, j'ai dit alors que Lavender s'enfonçait dans un fauteuil. Ces filles sont comme des corbeaux — elles ont sûrement repéré quelque chose de plus brillant de l'autre côté de la ville.

— Ouais, a fait Lavender, je suppose qu'il ne reste plus grand-chose d'un pilote quand il se retrouve à pied.

Son sourire n'a pas effacé les cernes sous ses yeux.

— Et comment vont les choses de ton côté, Miss Mo LoBeau ?

— Pas si bien, j'ai avoué. Aucune nouvelle du Colonel et, hier, ça faisait trois jours. Il faut qu'on fasse quelque chose. J'sais juste pas quoi.

Lavender s'est penché en avant.

— Qu'est-ce qu'en dit Miss Lana ?

— Elle dit de ne pas s'inquiéter mais je le fais quand même. On pourrait en parler à Starr, je suppose, mais le Colonel l'aime pas trop. Ou bien on pourrait en parler à Miss Marla. Elle est gentille et elle m'aime bien.

Il a rejeté ses cheveux en arrière.

— Ça me paraît un bon plan, il a dit. Mais vaudrait mieux demander son accord à Miss Lana.

Je me suis détendue. J'aime avoir un plan.

Lavender a pris une gorgée de son thé.

— Tu as bien chanté hier, Dale, il a dit.

– Merci, a souri Dale.

– J'étais vraiment fier de toi. Je parie que Mama a levé ton interdiction de sortie pour te récompenser.

– Non, a soupiré Dale. Je suis toujours coincé à la maison, juste en permission pour bonne conduite. Je n'en ai jamais eu autant marre de ma vie de réparer des choses.

Il a regardé autour de lui.

– Tu devrais nettoyer là-dedans.

– Il peut pas, Dale, j'ai dit. Il est déprimé.

Lavender a eu un petit gloussement.

– Même pas.

– Si, tu l'es. Le cas classique : t'es pas rasé, ta bagnole est déglinguée et ta vie amoureuse est une cata. Bientôt, si ça se trouve, tu pourras plus t'arrêter de manger et il faudra qu'on te sorte d'ici avec une grue. Et regarde ces ongles, ils sont dégoûtants.

– Holà ! il a fait, lâche-moi un peu. Sam et moi, on a bossé jusqu'à deux heures du mat' sur la voiture. J'ai pas eu le temps de faire une manucure.

Il s'est levé d'un bond pour ramasser de la vaisselle sale par terre. Lavender bouge comme un grand félin blond.

Ces jumelles sont des idiotes. Même déprimé, il est beau à se damner.

– Bon, si tu bosses sur ta voiture, je suppose que c'est bon signe.

Il s'est dirigé vers la cuisine.

– Peut-être, il a dit en posant la vaisselle avec fracas au fond de l'évier. Mais la Sycomore 200 n'est plus que dans deux semaines. J'ai déjà payé mon inscription mais on dirait qu'il va falloir que j'abandonne. On n'aura jamais remis la voiture en état à temps.

Dale a froncé les sourcils.

– Mais toi et Sam êtes les meilleurs mécaniciens du comté.

– C'est pas le talent qui nous manque. C'est l'argent pour les pièces détachées. J'ai réparé toutes les voitures que j'ai pu trouver, y compris l'Underbird – qui est prête d'ailleurs, Mo, tu peux prévenir Miss Lana. Mais même une fois qu'elle m'aura payé, il me manquera encore mille dollars.

– Et alors ? j'ai dit. Depuis quand tu pilotes pour de l'argent ? Tu participeras à une autre course.

Le silence est resté en suspens comme une odeur de tabac froid. Mes yeux sont allés d'un frère à l'autre ; tous deux ont évité mon regard.

– Qu'est-ce qui ne va pas ?

– Rien, a dit Dale. C'est juste que les finances de Mama vont pas bien ces temps-ci, à cause de comment papa se conduit. Et je l'aide pas non plus, il a ajouté.

– Tu pourras peut-être, j'ai dit. Si on arrive à résoudre le meurtre de Mr Jesse et s'il y a une prime.

— Ça fait beaucoup de « si », Mo, a dit Dale en s'affalant dans son fauteuil.

Le malaise a enfoncé ses doigts pointus dans mes omoplates. La famille de Dale n'avait jamais eu beaucoup d'argent mais je ne les avais jamais vus inquiets. Lavender a ramassé un t-shirt qui traînait par terre.

— Cette course est un pari risqué mais j'espérais la rentabiliser, a repris Lavender. Elle rapporte bien si on la gagne.

— Est-ce que ça arrangerait les choses pour Miss Rose, si tu gagnais ? j'ai demandé.

Le Colonel dit qu'essayer d'échapper à la pauvreté en pilotant revient à s'affamer pour ne plus être maigre. Il faut de gros moyens pour mettre une voiture sur le circuit et une somme conséquente pour faire une course : il faut acheter de l'essence, des pneus, des pièces détachées pour chaque course. Une voiture en état de courir vaut un bon paquet d'argent. Et une voiture démolie ne vaut rien du tout.

— Ça aiderait, a dit Lavender. Mais comme j'ai dit, c'est très risqué.

J'ai pris une décision.

— Et alors ? Toute ma vie a été très risquée. On va trouver ces mille dollars, Dale. De toute façon, on ne peut pas beaucoup avancer l'enquête avec toi qui es privé de sorties et Phil en Civil qui nous colle au train.

— Rassembler mille dollars ? s'est étranglé Dale. Comment ?

Bonne question.

— J'suis pas encore prête à dévoiler mon plan, j'ai dit.

Il a levé les yeux au ciel.

— Ça veut dire qu'elle en a pas, il a dit à Lavender.

— Naturellement, je dois en affiner les détails, j'ai rétorqué. Mais je crois que nous allons frapper à la Fête du mimosa.

En fait, c'était ultra-simple. La fête commençait quelques jours plus tard. Normalement, Dale et moi on fonçait sur les attractions et les stands de nourriture, en évitant l'artisanat et les loteries.

— Un bourg entier de gens aux poches bourrées de sous à dépenser paraît un bon endroit pour commencer.

Lavender a ri.

— Merci pour la proposition, Mo. T'es une vraie pote. Mais ne te casse pas ta jolie tête. Sam et moi allons trouver les sous pour la voiture. Il faudrait juste que tu veilles à ce que mon desperado de frérot n'ait pas plus d'ennuis.

Une jolie tête ? Moi ?

— Non, j'ai dit en allant vers la porte. On va trouver l'argent. Toi, tu répares la voiture.

Il a lancé ses chaussettes sales vers le couloir.

— Si tu y arrives, je te rembourserai chaque cent, il a dit. Au double. Mais il y a une chose…

– Un contrat ? j'ai tenté.

– Une échappatoire. Si tu ne trouves pas l'argent, c'est pas grave, entendu ?

– Entendu.

J'ai attrapé l'anneau d'un store poussiéreux, qui s'est enroulé d'un coup jusqu'en haut de la fenêtre.

– On reste en contact, j'ai dit en sortant avec Dale.

La chaleur m'a suffoquée comme une éponge fumante de vapeur alors qu'il refermait la porte derrière nous.

– Hé ! Dale, j'ai chuchoté en fixant l'autre côté de la rue. Voilà ton garde du corps. Fais comme si tu le voyais pas.

– C'est ce que je faisais jusqu'à ce que tu me le montres, il a marmonné.

Il a hésité, puis a fait un signe du bras.

– Il n'est pas très amical, il a dit tandis que Phil en Civil filait derrière une azalée.

J'ai sauté de la véranda.

– Passons à l'église voir si on n'a pas raté des indices. Thes nous ouvrira. Il nous doit un service pour avoir retrouvé son chat semi-débile.

– Ouais, a fait Dale. Il nous doit gros.

17 – La dernière contribution de Mr Jesse

Thes était assis sur l'escalier de l'église à agiter une souris jouet devant son chat.

Derrière la porte, une voix faiblarde suivait un air de piano métallique comme un chien fatigué sur la piste d'un lapin. Plein de gamins viennent à l'église suivre les leçons de musique de Miss Currie. Heureusement, je n'ai pas cette chance.

– Hé ! Thes, j'ai lancé. Quelles nouvelles du temps ?

– Chaud, il a dit. Orages ce soir. L'ouragan Amy a viré sur l'Atlantique. Il va nous rater.

– Super, j'ai dit en m'installant à côté de lui. Du nouveau sur Mr Jesse ?

– Pas grand-chose. Sauf que papa n'avait finalement pas déposé son dernier billet à la banque. Il croyait l'avoir fait, mais il l'a retrouvé sous son siège de voiture ce matin.

Un indice !

– On pourrait y jeter un coup d'œil ? j'ai dit.

– Pas possible, a dit Thes alors que Spitz sautait sur la souris. Papa l'a donné à Joe Starr. Mais j'ai pensé que tu voudrais quand même ça.

Il a mis la main dans sa poche et m'a tendu une photocopie froissée du billet de cent dollars, numéro de série compris.

– Merci, j'ai dit. J'espérais une découverte clé de ce genre.

J'ai glissé la photocopie dans ma poche, en essayant d'avoir l'air de savoir ce que j'allais en faire.

– Tant qu'on y est, je me demandais si je pourrais en profiter pour réexaminer le sanctuaire, au cas où j'aurais manqué un indice, dimanche.

Il a haussé les épaules.

– D'accord. Hé ! Dale, regarde ça.

Spitz a bondi et Thes et Dale ont éclaté de rire alors qu'il attrapait la souris et roulait à travers la véranda.

Alors que j'atteignais la dernière marche de l'escalier, la porte de l'église s'est ouverte d'un coup. Miss Currie a déboulé en serrant contre elle une brassée de partitions.

– Hé ! j'ai dit.

– Salut, Mo, elle a murmuré.

Et elle a continué sans s'arrêter, en fredonnant.

Quand j'ai entrouvert la porte, j'ai entendu une voix – une voix dure, aiguë et insistante, venant de l'entrée de l'église sombre.

– C'était *ça*, le mieux que tu puisses faire ?

– Je suis désolée, Mère, a répondu la fille. C'est juste que je n'ai pas une belle voix.

Cette voix m'était familière – comme quelqu'un que je connaissais parlant à travers de la gelée.

– Tout le monde chante dans notre famille, a répliqué sèchement la femme. Tu as le talent nécessaire. Tu dois juste t'appliquer. Répéter.

– Mais je répète.

– Tiens-toi droite quand tu chantes. Montre que tu as de l'assurance.

– Mais je n'en ai pas, a gémi la fille.

– Alors trouves-en ! Ton père et moi ne te payons pas ces leçons parce qu'on est fatigués de regarder notre argent.

C'en était trop. Personne ne doit parler à un enfant comme ça. En tout cas, pas en ma présence.

J'ai ouvert brusquement la porte et pénétré dans le sombre sanctuaire.

– Je ne crois pas que vous devriez parler à un enfant comme ça, a résonné ma voix.

Mes yeux se sont accommodés à la pénombre, et si j'avais pu dés-ouvrir cette porte je l'aurais fait.

– Oh ! Hé ! Anna Céleste.

Attila Céleste a détourné les yeux et les miens se sont dirigés vers Mrs Simpson – œil dur, non-sourire.

– Oh ! elle a dit. C'est la fille du café.

La fille du café ? Elle connaît pas mon nom ?

218

Mon cœur battait comme un chimpanzé déchaîné jouant du bongo. Pendant un bref instant, ma colère a dépassé ma haine d'Anna Céleste. J'ai pris une grande inspiration.

— Je ne savais pas que tu prenais des cours de chant, Anna. Ça explique beaucoup de choses.

Mrs Simpson a arqué les sourcils.

— Vraiment ?

— Bien sûr, j'ai dit. Anna Céleste a la plus belle voix de fille de la classe.

C'était vaguement vrai. Très vaguement. On chante tous comme des crapauds.

— Je parie que vous êtes fière de l'avoir dans votre famille, Mrs Sampson. Vous devriez l'être.

— Mrs *Simp*son, elle a grondé, et Attila a presque souri.

— D'accord. Désolée.

J'ai jeté un coup d'œil à la ronde. L'église avait été nettoyée, époussetée et briquée depuis la céré-monie de Mr Jesse. Tout indice avait disparu depuis longtemps.

— À la prochaine, Anna, j'ai dit alors que la porte se refermait en chuintant derrière moi.

J'ai raconté l'incident à Dale sur le chemin du café, la sueur gouttant le long de mon dos.

— Mrs Simpson ferait une affreuse belle-mère, il a dit, l'air inquiet.

J'ai eu un petit gloussement.

– Pas que ça ait la moindre importance pour toi. Anna Céleste oubliera ton nom à l'instant même où ta célébrité retombera.

– Peut-être.

Nous avons marché en silence, la chaleur nous écrasant comme des fantômes sur un fond de scène.

– Tu crois que Miss Lana va appeler Starr ? a demandé Dale. À propos du Colonel ?

Le creux de mon estomac a tangué.

– J'espère qu'elle l'a déjà fait.

Mais elle ne l'avait pas fait à notre retour au café à onze heures trente. Et toujours pas quand l'adjointe Marla est passée déjeuner à douze heures quinze.

Les Rolling Stones secouaient le juke-box et des lampes à lave ornaient les tables d'ondulations colorées lorsque l'adjointe Marla s'est laissée glisser sur un tabouret de bar et a jeté un coup d'œil à l'ardoise du jour.

– Hé ! j'ai fait, en lui versant de l'eau. Comment avance votre enquête ?

– C'est drôle que tu me demandes ça parce que je viens de parler à Joe, elle a dit. Ta rame est bien l'arme du crime, Mo. Mais il n'y avait pas d'empreintes. Nous suivons une ou deux autres pistes.

Elle a parcouru la salle des yeux.

– Thème resto années 1960 ? elle a deviné alors que Miss Lana virevoltait en chemisier tie-dye et jupon bohémien, dans un balancement de boucles noires luisantes de sa perruque Cher.

– *Diner*[1], vers 1968, j'ai confirmé alors que Dale passait en trombe avec une tarte aux pommes chaude, les cheveux ramenés en arrière en queue de canard. Dale la joue rétro… Bienvenue, j'ai fait en me dressant bien droite et en drapant mon bras d'une serviette. Aujourd'hui, nous avons le Trio Poulette swingueuse pour 4,99. Au choix : poulet grillé, tourte de poulet ou salade de poulet. Les deux premiers sont accompagnés de deux légumes du jardin : okras, concombres, salade de pommes de terre ou fanes de navet. La salade de poulet se présente sur des tranches de laitue pâle, avec frites ou crackers. Tous les plats sont accompagnés de muffins au fromage et de thé. Puis-je prendre votre commande ?

– Poulet frit, elle a dit. Avec okras et concombres. Et un thé sucré. Comment avance ton affaire ?

Je lui ai fait glisser un panier de muffins au fromage.

– Le meurtre ?

– En fait, je pensais à ta mère.

J'ai versé son thé et évité son regard.

– Rien de nouveau.

– Je sais ce que ça fait. Accroche-toi, elle a dit tout en déchiffrant l'ardoise des desserts. C'est

1. Petit restaurant de bord de route à l'esthétique de wagon-restaurant, très populaire dans les années 1960. (N.d.T.)

probablement la raison pour laquelle j'aime être dans la police. Ça me donne un sentiment de famille.

Je lui ai fait glisser ses couverts.

— Qu'est-ce que vous voulez dire ?

— Cette tarte aux pommes est maison ? a demandé Marla. Je vais la goûter. Je veux dire que je comprends ce que tu peux ressentir, Mo. J'ai grandi dans un home pour enfants. Je sais ce que c'est de se poser des questions. Ça reste entre nous, d'accord ? (Clin d'œil.) Mets de la glace sur cette tarte. On ne vit qu'une fois, pas vrai ?

— Et moi j'aimerais un peu de la salade de poulet de Lana, a dit Miss Retzyl en se glissant sur un tabouret à côté d'elle.

À l'autre bout de la salle, Dale a laissé tomber une assiette. Il perd les pédales dès qu'il est près d'un prof, même s'il ne peut pas le voir. C'est comme s'il avait un radar intérieur.

— Hé ! Miss Retzyl, j'ai dit. Qu'est-ce qui se passe ? Vous ne mangez pas ici d'habitude.

— Rarement, elle a confirmé, aussi froide qu'un sorbet. Mais j'ai entendu dire que Marla passait par ici et j'ai eu envie de lui faire une surprise. Je prendrai un thé non sucré avec cette salade de poulet, s'il te plaît.

La clientèle de déjeuner m'a emportée dans son tourbillon mais, tandis que je servais les repas et versais le thé, je gardais un œil sur l'adjointe Marla. Pas étonnant qu'elle comprenne ma recherche de ma Mère d'Amont. Elle avait cherché aussi. Alors, elle comprendrait aussi pour l'absence du Colonel – probablement. Miss Lana est passée comme une flèche.

– On peut parler ? j'ai dit.

– Après déjeuner, mon chou, elle a répondu en encaissant un client. Je suis débordée.

J'ai levé la tête pour voir l'adjointe Marla et Miss Retzyl traverser le parking, et pris une décision majeure. J'ai attrapé la photocopie de la Dernière contribution de Mr Jesse et noté le numéro de série du billet de cent dans mon bloc de commandes. Puis j'ai enfoncé la photocopie dans ma poche.

– Hé ! j'ai appelé en me précipitant dehors alors que Miss Retzyl s'éloignait au volant de sa décapotable bleu marine très normale. Madame l'adjointe, je veux vous poser une question hypothétique. D'une professionnelle à une autre.

– Vas-y, détective.

J'ai fait semblant de ne pas voir les miettes sur son chemisier. Même les professionnels font des erreurs.

– Imaginez que quelqu'un qui était censé être à la maison ou appeler hier soir n'ait donné aucune nouvelle. Qu'est-ce que vous feriez compte tenu de la situation «Tueur dans la nature» actuelle ?

Elle a froncé les sourcils.

– Mo, est-ce que tout va bien ?

– Oui, m'dame. Ce n'est qu'une hypothèse.

– Eh bien, elle a dit. Je lui donnerais peut-être encore vingt-quatre heures de plus. Puis j'appellerais un flic. Un flic sympa.

Elle m'a tendu sa carte.

– L'inspecteur Starr pourrait t'aider. Ou bien voici mon téléphone chez Priscilla. Dans l'hypothèse où tu aurais d'autres questions, bien sûr.

– Merci.

– Pas de problème.

J'ai plongé la main dans ma poche.

– Une dernière chose. Je sais que Starr a entendu parler de ça, mais j'ai cette copie de la Dernière contribution de Mr Jesse. *Avec* numéro de série. J'ai pensé que vous aimeriez l'avoir. Échange de services. Comme le Colonel et Miss Lana me l'ont appris.

Elle a pâli, trébuché et s'est rattrapée en s'appuyant sur la voiture derrière elle.

– Adjointe Marla ? Vous allez bien ?

– Ça doit être la chaleur, elle a dit tout en secouant la tête et prenant ma feuille. Ça va bien. Merci pour ça, Mo. Je crois, comme tu dis, que Joe a déjà l'info, mais ça ne fait jamais de mal d'avoir un double. À bientôt, détective.

Elle est montée dans sa voiture de patrouille et s'est éloignée à toute allure.

Cette nuit-là, alors que la pluie que Thes avait prédite tambourinait dehors, j'étais assise contre Miss Lana sur le canapé.

— Le Colonel a un jour de retard, je lui ai dit. Ça fait presque vingt-quatre heures qu'il aurait dû appeler.

— Je sais, elle a soupiré. Chaque fois que le téléphone a sonné aujourd'hui, j'étais sûre que c'était lui.

J'ai sorti la carte de l'adjointe Marla de ma poche.

— L'adjointe Marla m'a donné son numéro. C'est une orpheline. Elle nous aidera.

— Une orpheline ? a dit Miss Lana en prenant la carte. Quel est le rapport ?

— Nous pourrions appeler Starr, j'ai dit, mais je suis sûre que le Colonel n'apprécierait pas.

Elle a inspiré profondément.

— Starr ? Peut-être que je vais essayer Marla d'abord.

Elle est allée vers le téléphone et a laissé sa main posée dessus, les yeux fermés.

— Donne-moi un instant pour rassembler mes pensées, elle a murmuré.

Juste alors qu'elle rouvrait les yeux, le téléphone a sonné.

Nous avons toutes les deux sursauté.

— Allô ? elle a répondu, puis elle a ri. Colonel ! Où es-tu ?

Le soulagement m'a inondée. Toute cette inquiétude pour rien.

— Tu vas bien ? elle a demandé. Nous étions malades d'inquiétude.

Elle a écouté un instant puis a papillonné des paupières.

— Depuis quand tu m'appelles… oui. Oui. Bien sûr. Eh bien, quand tu as enfreint la règle des trois jours, j'ai… Non, je suis sûre que tu es parti avant minuit mais… Oui, elle est ici.

J'ai fait un mouvement vers le téléphone mais elle a froncé les sourcils et secoué la tête.

— Je le ferai. Je lui dirai. Tu es sûr que tout va bien ? À ta voix, on dirait… Oui. Je comprends… Non, nous allons bien.

Elle a hoché la tête, l'air perplexe, avant de reprendre :

— Alors nous attendrons de tes nouvelles avant jeudi au plus tard. Je… Allô ?

Elle a reposé le combiné, l'air abasourdie.

— C'était le Colonel, elle a dit, comme si je ne le savais pas déjà. Il t'embrasse.

— Tu donnes l'impression que c'est une mauvaise nouvelle.

— Non, elle a dit. C'est une bonne nouvelle. Bien sûr. C'était juste une conversation bizarre.

Bizarre ? Le Colonel ? Ce n'était pas exactement un scoop.

— Bizarre, comment ? j'ai demandé.

— Eh bien, primo, il m'a appelée chérie.

— *Chérie ?* Il ne t'appelle jamais chérie.

— Et secundo, il t'a appelée Moïse.

226

– *Moïse ?* La seule fois où il m'a appelée Moïse, c'est le jour où il m'a donné mon nom.

– Je sais.

Elle fixait le cadran du téléphone comme pour lire ses pensées.

– Bon, au moins il a appelé et nous savons qu'il est sauf. Il sera de retour dans quelques jours et nous saurons alors ce qui se passe.

– D'accord.

Je l'ai serrée dans mes bras et suis allée me coucher. Mais j'ai mal dormi, agitée par des bribes de rêves. Mon univers n'était pas logique. Mon monde tournait de traviole, comme une vieille toupie usée.

Je me suis réveillée en plein dans mon vieux rêve habituel – celui où je suis debout dans une crique et je vois passer une bouteille ballottée au fil de l'eau. Le cœur battant, je la secoue pour en faire sortir le message. Mais, comme toujours, les mots se brouillent avant que j'arrive à les lire.

18 – Miss Lana !

Avant le lendemain soir, Dale et moi avions monté un plan de génie de collecte d'argent pour la voiture de Lavender. Nous l'avons mis en œuvre mercredi, à l'inauguration de la Fête du mimosa.

Dale en avait maintenant assez de la célébrité.

– Laisser Starr m'emmener de chez Mr Jesse menotté est la plus grosse bêtise que j'aie jamais faite, il a dit en plongeant son pinceau dans un pot de peinture violette.

– Mais non, j'ai dit en tournant notre pancarte sur la table. T'as fait plein de plus grosses bêtises encore. Attention, pas de coulures. Je veux que la pancarte de Lavender ait l'air professionnelle.

La fête a ouvert à dix-sept heures, nous laissant seulement deux heures pour finir notre stand. On avait déjà monté la tente de fête rouge et blanc de Miss Lana et mis deux chaises de jardin dessous.

Il ne manquait plus que la pancarte. Dale hésitait, le pinceau en l'air.

– Qu'est-ce que tu voulais que j'écrive ?

J'ai retourné mon carnet de croquis : « Foncez vers la fortune avec Lavender ! » Dessous, j'avais dessiné sa voiture et l'avais divisée en espaces publicitaires.

– Cette course est au top niveau, je lui ai rappelé. Télévision, radio. Si on arrive à vendre vingt pubs à cinquante dollars pièce, on aura le millier de dollars dont Lavender a besoin pour ses pièces détachées. Donne-moi le pinceau et laisse-moi faire. Au rythme où tu vas, la course sera finie avant qu'on ait démarré.

Dale s'est affalé sur une des chaises.

– Je croyais que Starr aurait attrapé l'assassin à l'heure qu'il est et que je serais un héros, il a dit d'une voix déçue. Au lieu de ça, les gens disent encore plus de mal de moi et de ma famille qu'avant, ce que je croyais pas possible. Attila m'évite. Et j'en ai marre des flics qui me suivent. Regarde, voilà encore cet imbécile de Phil en Civil.

– Où ça ?

– Derrière le *dunk tank*[1] des baptistes.

_____

1. Attraction très populaire de fête locale comprenant une petite piscine surmontée d'un siège mobile relié à un panneau de cible. Lorsque le joueur touche la cible, il actionne le retrait du siège, faisant chuter le joueur assis dessus, qui fait donc trempette (*dunk*). (N.d.T.)

J'ai scruté le stand, où Sam Quinerly était en train d'huiler les ressorts, juste à temps pour voir Phil s'éclipser.

— Hé ! Sam, j'ai appelé. Où est Lavender ?

— Au garage. Mais il sera là ce soir, il a répondu en venant vers moi.

— Bien. Nous avons besoin de lui pour signer des autographes et embrasser quelques bébés.

— Pour ce qui est d'embrasser les bébés, je ne sais pas, mais je suis sûr qu'il sait signer son nom, a plaisanté Sam. Merci de faire ça, vous deux. Votre confiance lui a donné des ailes. Il a listé toutes les pièces dont on a besoin et il se tient prêt. On peut remettre cette voiture en état plus vite que... hé, chouette pancarte.

J'ai reculé d'un pas pour admirer ma création. Crotte... Les lettres maigrissaient vers le bord du panneau.

— J'ai fait les lettres du bord plus minces pour donner l'impression qu'elles foncent, j'ai expliqué. Qu'est-ce que t'en penses ?

— Effets spéciaux, il a dit en hochant la tête. Ça en jette, pas vrai, Dale ?

Dale a froncé les sourcils.

— Pour moi, on dirait juste que t'avais plus la place.

— Et si tu nous donnais un coup de main pour l'accrocher ? j'ai demandé en poussant la pancarte vers Sam. Nous allons rendre Lavender célèbre, ce soir.

– Célèbre ? a souri Sam. Rends-nous solvables et tu seras notre déesse à tous les deux.

À dix-neuf heures trente, j'étais en bon chemin pour acquérir mon statut de déesse.

Miss Lana m'a lancée en orbite en achetant le capot complet pour faire la publicité du café.

– Trois cents dollars ? Je le prends, mon chou, elle a dit en sortant son carnet de chèques de sa manche de kimono. Pas un mot au Colonel, d'accord ?

– Tu restes un peu nous aider, Miss Lana ?

– J'aimerais vraiment, mais je dois mettre deux dindes au four pour le plat du jour de demain.

Elle s'est penchée vers Dale.

– Je les rôtis à feu très bas toute la nuit – c'est ce qui les rend si juteuses. Ne le dis à personne, elle a ajouté en lui tapotant le bras avec son éventail.

Il a approuvé de la tête.

– Merci d'avoir acheté la pub, il a dit en rougissant. Je sais que le café n'en a pas besoin. Toute la ville y mange déjà.

– Pffft, a soufflé Miss Lana en se tournant vers moi. Mo, je te veux à la maison à neuf heures et demie au plus tard. Je sais que les hommes de Starr veillent sur vous, mais tout de même. Utiliser des enfants comme appât ! elle a dit en lissant son kimono rouge. Où va le monde ?

– Rhétorique ? Dale a chuchoté, et je lui ai fait un clin d'œil.

231

Un instant plus tard, Tammy, de la garderie Tammy's, s'est pointée.

– Je voudrais une pub sur la portière du pilote si tu me trouves un slogan, elle a dit.

– « Tammy's, aux p'tits soins pour vos p'tits bouts », j'ai répondu. Ça fera soixante dollars : cinquante pour la pub et dix pour le slogan. Mettez soixante-dix dollars et on ajoutera votre numéro de téléphone.

Elle a griffonné son numéro sur un bout de papier rose.

– Et si vous donniez plutôt mon numéro au pilote ?

– Dale est son frère. Il s'en chargera, j'ai dit.

Dale a gémi mais il a empoché le papier.

Mr Li a acheté un panneau de pare-chocs (« Donnez du ki à votre vie ») et Bouddha Jackson, propriétaire du Bar et Salon Solarium, a allongé soixante dollars pour un panneau de portière (« Faites-vous dorer chez Bouddha »). Alors qu'il partait, une dame aux azalées est venue prendre des renseignements sur un emplacement pour le Club de jardinage d'Uptown.

– Un panneau ne coûte que quatre-vingt-cinq dollars, j'ai dit.

– Quatre-vingt-cinq ? elle s'est exclamée. J'ai entendu cinquante.

– Ça c'est pour le coin moche, j'ai dit. Je ne pensais pas que vous le voudriez mais d'accord. Dale, donne-lui le réservoir.

Elle a porté sa main à sa gorge.

– Le réservoir ? Nous prendrons le joli coin pour quatre-vingt-cinq.

J'ai adressé un clin d'œil à Dale. Je savais qu'une dame aux azalées préférerait la mort au mauvais goût.

Lavender est arrivé à vingt heures, diaboliquement beau. La fête battait son plein : les petits chevaux tournaient, les montagnes russes vrombissaient, le *tilt-a-whirl*[1] hurlait.

– Allez vous chercher quelque chose à manger, il a lancé en me tendant un billet de dix dollars. Je recommanderais quelque chose de sain, du genre beignets aux Oreos.

À notre retour, le stand était pris d'assaut. Avec la signature d'autographes de Lavender, on a pu vendre la surface entière de la voiture avant neuf heures.

– J'y crois pas : Mille quatre-vingt-dix-neuf dollars soixante-dix-neuf cents, il m'a annoncé en claquant le couvercle de notre caisse.

– Comment ça, quatre-vingt-dix-neuf dollars soixante-dix-neuf cents… ?

– M. le maire a dit que la ville avait des difficultés financières alors je lui ai fait une ristourne.

Ce qui s'est passé ensuite restera comme un grand moment historique : Lavender a souri, s'est penché et m'a embrassé la joue.

1. Manège comprenant des gondoles qui tournoient follement sur elles-mêmes. (N.d.T.)

Mon premier baiser ! Et il venait de Lavender !

– Mo, il a dit, tu es une vraie déesse de la libre entreprise.

Moi ! Une déesse de la libre entreprise !

J'ai poussé Dale contre Lavender et Lavender a ri.

– On fait la course ! j'ai crié à Dale et j'ai détalé du stand.

La foule défilait sur les côtés dans une lumière floue. J'ai couru plus vite que n'importe quel humain n'a jamais couru, fonçant jusqu'à l'extrémité du bourg, virant vers la crique, filant jusque dans le café.

Mes baskets martelaient « le baiser de Lavender », « le baiser de Lavender » alors que je prenais le virage au coin du café, descendais l'allée et montais l'escalier.

– Miss Lana ! j'ai appelé alors que la porte-moustiquaire claquait contre le mur et que les semelles de Dale résonnaient sous la véranda derrière moi. Miss Lana ! Devine ce qui est arrivé !

Le spectacle du salon m'a frappée comme un coup de poing.

La bibliothèque en acajou était couchée face contre le sol. Les fauteuils en velours de Miss Lana étaient renversés et leur siège éventré. Les coussins du canapé étaient éparpillés en désordre sur le sol et la lampe pendait tête en bas de la table, retenue par son propre fil. Les photos de l'anniversaire de mes six ans penchaient dans tous les sens le long du mur, aveuglées par leurs verres brisés. Des papiers débordaient des tiroirs grands ouverts du bureau.

– Miss Lana ?

Ma voix a résonné, petite et lointaine, alors que Dale stoppait en dérapant derrière moi.

– Trouvons-la ! j'ai crié.

On a couru à travers le salon en pagaille en l'appelant. Les autres pièces me fixaient, indemnes quoique sous le choc, vides et silencieuses.

– Qu'est-ce que c'est que ça ? a demandé Dale en ramassant un mot sur notre table de cuisine.

Je l'ai saisi, surprise de sentir combien mes doigts me semblaient lointains et comme il était difficile de me concentrer sur les majuscules du message :

STARR – ON A TOUS LES DEUX BESOIN DE QUELQUE CHOSE. TU M'AIDES ET JE T'AIDERAI.

– Qu'est-ce que ça veut dire ? a chuchoté Dale.

– C'est l'assassin. Il a Miss Lana. Cours ! j'ai crié, en le poussant vers la porte. Cours !

Alors qu'on traversait le salon, la porte d'entrée s'est ouverte brutalement et un homme s'est découpé en ombre chinoise contre les étoiles.

– Ma chambre, Dale, j'ai crié en tournant. Vas-y !

– Stop ! a tonné l'homme. C'est Joe Starr ! Tout le monde se calme !

J'ai attrapé sa main.

– Par ici ! L'assassin a emmené Miss Lana.

Pendant le reste de la soirée, la lumière a inondé notre maison et le jardin alors que les policiers et nos voisins cherchaient Miss Lana. L'adjointe Marla a trouvé les doubles empreintes le long du mur du café.

– Il y a eu une lutte. On dirait qu'elle a été traînée sur les derniers mètres, elle a dit à Starr en évitant mon regard.

J'ai essayé de ne pas penser aux instructions que Starr avait données à ses hommes en les envoyant fouiller les bois :

– L'assassin a laissé sa première victime dans la crique. Il pourrait y retourner. Soyez prudents. Appelez-moi si vous trouvez quoi que ce soit.

Il a glissé le mot de l'assassin à son adjointe.

– Qu'est-ce que vous pensez de ça, Marla ?

Une lente rougeur a empourpré son visage.

– *On a tous les deux besoin de quelque chose,* elle a lu avec un rictus. Il nous fait marcher.

– Exact, a dit Starr. Mais pourquoi ?

– Peut-être qu'il est en colère ? a suggéré Dale. Peut-être que c'est comme vous avez dit quand vous m'avez emmené de chez Mr Jesse avec les menottes – qu'il n'aime pas qu'on me donne le mérite de son crime.

J'ai jeté un coup d'œil par la fenêtre. Les faisceaux jaunes des lampes torches de l'équipe de recherche scintillaient à travers les arbres jusqu'au ras de l'eau.

– Comme des lucioles, j'ai murmuré.

– Quoi ? a demandé Starr en examinant la carte routière sur le comptoir de la cuisine.

– Les faisceaux lumineux, j'ai dit. On dirait des lucioles.

– Tu es sûre que tu n'as vu personne ? il a demandé à nouveau. Une voiture inhabituelle ?

– *Personne*, je vous ai dit. Pourquoi vous n'arrêtez pas de vous en prendre à moi et n'allez pas plutôt chercher Miss Lana ? Elle pourrait être…

Ma voix s'est cassée comme une onde radio venant de trop loin.

Ensuite, les tremblements ont commencé.

– Allez chercher une couverture, a demandé Starr à l'adjointe Marla. Dale, où est ta mère ? Je crois que Mo aimerait passer quelque temps avec elle.

– Je l'ai déjà appelée, a dit Dale. Elle attend que Lavender vienne la chercher. Elle aurait pu conduire jusqu'ici elle-même, sauf que papa lui a fauché la Pinto et l'a ramenée à sec.

L'adjointe Marla a posé sur mes épaules la couverture militaire râpeuse du Colonel et m'a serré les bras d'une petite pression. La couverture sentait le pin et la fumée de bois, comme quand on campe dans le jardin.

J'ai fermé les yeux et le tremblement s'est arrêté. Ma peur a fondu et la voix de Dale s'est assourdie. Je me suis imaginée en train de camper au printemps, juste le Colonel et moi.

– Rien de tel que le camping pour te redonner un sens des proportions, soldat, disait le Colonel. Rappelle-toi ça. Quand tu perds ton chemin, attends sous les étoiles.

J'ai déroulé ma couverture.

– Attendre quoi ?

– Tu sauras, il a dit, et il a fermé les yeux, calme comme un bébé. Qu'est-ce que tu entends ?

– Je crois que j'ai entendu une voiture changer de vitesse. Ça pourrait être Lavender. Et toi, qu'est-ce que tu entends ?

– Comme d'habitude, il a murmuré. Le tourbillon des grillons, le tournoiement des étoiles… Écoute-moi, il a continué. Nous naissons et renaissons sans cesse, jour après jour. Quand tu te sens perdue, laisse les étoiles t'endormir de leur chant. Tu te réveilleras toujours nouvelle.

Il m'a regardée, son visage sauvage et beau comme un creux de rocher au clair de lune.

– Tu comprends ce que je te dis, soldat ?

J'ai touché sa main.

– Je ne sais pas, chef, j'ai dit. Mais j'admire comment ça sonne.

Il a renversé la tête en arrière et ri.

– À la bonne heure ! Tu es franche comme le granit, ma chère. Va donc chercher les marshmallows. Faisons un feu du tonnerre.

– Mo ? a dit Starr en posant une patte maladroite sur mon épaule et me secouant comme un ours.

Tu m'entends ? Elle glisse en état de choc, il a dit à quelqu'un. Appelez un médecin.

— Ce ne sera pas nécessaire, a fait Miss Rose depuis le seuil.

— Mama ! a crié Dale.

Miss Rose a traversé la cuisine, ses yeux verts inquiets.

— Oh ! Mo, elle a dit. Je suis tellement désolée.

Ses bras m'ont enveloppée et mes yeux se sont remplis de larmes brûlantes de frayeur.

J'ai sangloté comme une fillette de maternelle.

— Nous allons retrouver Miss Lana, a dit Miss Rose en caressant mes cheveux. Ne t'inquiète pas, nous la retrouverons.

— Mama, où est Lavender ? a demandé Dale en levant les yeux de l'ordinateur portable de Starr.

— Il cherche, comme tout le monde.

Savoir Lavender à proximité m'a rassurée.

— Dale, a repris Miss Rose, qu'est-ce que tu fais ?

— Je regarde les photos de police, il a dit en se voûtant pour examiner l'écran. Mo et moi on est arrivés juste après l'assassin. Peut-être qu'on l'a vu mais juste qu'on ne s'en souvient pas.

— Nous faisons tout ce qui est en notre pouvoir pour retrouver votre amie, Rose, a dit Starr. Nous avons des gens en battue dans les bois et des barrages de police installés sur l'US 264 et l'I-95. L'adjointe Marla se prépare à inspecter les maisons vides et les granges. Lana a-t-elle mentionné qu'elle avait des difficultés avec quelqu'un ? Au café ou à Charleston ?

Je me suis appuyée contre Miss Rose. Son chemisier sentait l'herbe fraîchement coupée.

— Lana est passée hier, elle a dit, mais elle n'a rien mentionné d'inhabituel. Elle était inquiète à propos de... l'affaire de Jesse.

— Elle a parlé du Colonel ?

La main de Miss Rose s'est arrêtée dans mes cheveux.

— Je ferais aussi bien de vous le dire. Le Colonel est parti depuis la nuit de jeudi. Elle a dit qu'il avait appelé lundi et parlé de façon... bizarre.

— Bizarre ? Comment ?

— Il l'a appelée « chérie ». Et il a appelé Mo Moïse. Il ne le fait jamais.

— Moïse ? a dit Dale. Ça, c'est bizarre.

Starr a griffonné une remarque.

— Autre chose ?

Elle a haussé les épaules.

— Pas vraiment. Elle n'appréciait pas qu'il parte compte tenu des circonstances mais ces deux-là ont toujours passé plus de temps séparés qu'ensemble.

— C'est-à-dire ? Ils ont des disputes ?

— Non, elle a dit. Ils ne se disputent pas parce qu'ils passent du temps séparément, justement. Croyez-moi, inspecteur, ce qui vous soigne à petite dose peut vous tuer si vous augmentez la quantité.

Starr a cliqué sur son stylo pour le fermer.

– Rose, si vous savez où se trouve le Colonel…

– Si je le savais, il serait déjà sur le chemin du retour.

– Hé ! a glapi Dale. Pourquoi Phil en Civil est là ?

Je me suis détachée de sa mère pour examiner la photo sur l'écran du portable.

– Qu'est-ce que votre agent infiltré fait là-dedans ? j'ai exigé de savoir en fixant Starr.

– Mon agent infiltré ? De qui veux-tu parler ?

Il a fait pivoter son portable vers lui pour examiner le cliché de police.

– Là, c'est Robert Slate, un braqueur de banque. Il s'est évadé il y a quelques semaines. Il est recherché.

– Si vous le vouliez, vous auriez dû venir à la fête, a dit Dale.

Starr s'est levé d'un bond.

– Slate est ici ?

Il s'est tourné vers l'adjointe Marla.

– Vous surveilliez Dale. Vous l'avez vu ?

– Non, elle a répondu, l'air dépassée. Jamais.

La chair de poule a envahi mes bras.

– Vous nous avez surveillés, nous ? Je ne vous ai jamais vue.

– C'est justement l'idée, Mo. J'étais dissimulée.

– Et vous n'avez pas vu Slate ? je me suis exclamée. Il était à l'enterrement de Mr Jesse. Et à la fête, dans les azalées en face de chez Lavender…

Elle a étudié la photo puis jeté un coup d'œil à Starr.

241

– Je ne sais pas quoi dire, Joe. J'ai dû le rater, je suppose, mais ça paraît peu probable.

– Êtes-vous sûrs ? a insisté Starr.

On a opiné du bonnet et il a passé un doigt sur ses sourcils.

– Mieux vaut prévenir que guérir, il a dit. Marla, appelez la patrouille volante. Dites-leur que Robert Slate a un otage et peut se diriger vers Winston. Et dites-leur qu'il est peut-être au volant d'une des voitures disparues de Dolph Andrews.

– Dolph Andrews ? Le mort de Winston-Salem ? a chuchoté Dale.

Je me suis levée.

– Si ce type fait du mal à Miss Lana...

Ma voix s'est désagrégée et Starr a posé sa main sur mon bras. Celle-ci était forte, comme celle du Colonel.

– La sécurité de Miss Lana est ma première priorité, Mo. Dale ? Merci pour ton aide, fiston. Rose ? J'apprécierais si vous pouviez emmener ces enfants à la maison pour que je puisse me mettre au travail. Je vais faire garder votre maison jusqu'à demain matin.

– Non, j'ai dit. C'est ma maison et je ne la quitte pas sauf si vous promettez de trouver Miss Lana.

Il a pris une grande inspiration.

– Mo, je vais faire tout mon possible et je passerai chez Rose demain matin pour te dire ce que j'ai appris. Je te le promets.

Miss Rose a passé son bras sur mes épaules.

— Merci, inspecteur. Viens, Mo. Allons chercher tes affaires.

Je me sentais comme une étrangère dans ma propre chambre, comme observée par mon lit défait alors que je traînais ma valise ancienne hors de mon armoire-chiffonnier et l'ouvrais en faisant claquer ses serrures cuivrées. Sa doublure bleu marine avait pâli en taches indigo. Je me tenais là, à suivre de mon doigt son renfort de gros cuir, sans savoir quoi faire.

— Miss Lana a dit de ne jamais partir quelque part sans argent pour rentrer à la maison, j'ai finalement dit en vérifiant le contenu de la poche de la valise. Ce billet de cinq d'urgence m'a chaque fois ramenée à la maison. J'aimerais vraiment que Miss Lana l'ait en ce moment.

— Lana est intelligente, a dit Miss Rose en pliant mon pantalon de karaté dans la valise. Elle trouvera son chemin pour rentrer. Elle sera fière de la façon dont tu gères cette situation. Tu verras.

J'ai lancé mon Tome 6 dans la valise alors qu'elle y ajoutait une pile de t-shirts.

— Je n'en aurai pas besoin, j'ai dit. Miss Lana sera probablement de retour avant l'aube.

— Probablement, mais Starr voudra travailler ici, même après son retour.

Après son retour… *S'il vous plaît, laissez-la rentrer à la maison*, j'ai souhaité très fort.

Je me sentais comme une feuille – une feuille en train de tomber.

– Mo, tu penses à autre chose dont tu pourrais avoir besoin ?

J'ai pris mon scrapbook vert, celui que Miss Lana avait commencé à Charleston.

– C'est la dernière chose qu'elle m'a offerte avant…

Ma phrase s'est effondrée.

– Ça va, Mo, elle a murmuré en m'enveloppant de son étreinte.

– Non, ça ne va pas, j'ai articulé, alors que de chaudes larmes ruisselaient sur ma figure. Il *faut* qu'ils la retrouvent. Sans Miss Lana, rien ne pourra plus jamais aller bien.

19 – Le chant des étoiles

Plus tard cette nuit-là, la porte de la chambre de Dale s'est entrouverte en grinçant, un rai de lumière dardant vers le lit où j'étais allongée en faisant semblant de dormir. Je me suis relevée sur un coude, les ressorts couinant sous moi.

– Dale ?

Les griffes d'Elizabeth II ont cliqueté sur le sol à travers la chambre.

– Hé ! fifille, j'ai chuchoté en tendant la main. Viens là.

Elle a sauté sur le lit et gigoté jusque contre moi. J'ai passé ma main sur ses oreilles veloutées et elle a donné des petites poussées de sa truffe sur mon poignet, me réconfortant. J'ai allumé la lampe – faite maison, pendant la phase artisanale bouteilles-de-vin-recyclées de Miss Rose.

La chambre de Dale est bien si on n'est pas une petite nature, ce qui est mon cas. Elle sent bon le terreau, comme un champ fraîchement labouré, grâce à l'élevage de vers de terre dans son placard – rescapés de son plan « faire fortune en un clin d'œil » de l'été dernier. Ses draps sentent comme le vent.

Son triton, Sir Isaac, a remué dans le terrarium. Je me suis penchée et ai ramassé mon scrapbook par terre.

– Ici, Liz, j'ai dit en ouvrant le livre. Renifle un indice.

– Qu'est-ce qui se passe ? a chuchoté Dale depuis la porte, et Liz et moi avons toutes les deux sursauté.

– On regarde des photos, j'ai dit. Qu'est-ce que tu fais debout ? Ta mère va t'arracher les oreilles si elle te trouve à traîner par ici.

C'était vrai. Une fois arrivés à sa maison, Miss Rose nous avait aboyé l'attribution des chambres comme le Colonel l'aurait fait : j'ai eu la chambre de Dale ; Dale et Lavender, qui restait nous protéger, l'ancienne chambre de Lavender. « Portes verrouillées, lumières éteintes, tout le monde au lit jusqu'au matin », elle avait ordonné en rejoignant la sienne.

– Liz avait faim. Je me suis levé pour lui faire un sandwich au beurre de cacahuète, a dit Dale. Je nous en ai fait un aussi. Tu l'as vue ?

– Elle est ici, j'ai dit alors que la queue de Liz battait le matelas.

Dale a traîné un fauteuil en rotin jusqu'à mon chevet.

– Tiens, Liz, il a dit alors qu'elle sautait par terre.

Elle a doucement pris le sandwich de la main de Dale et s'est étendue à ses pieds. Elle tenait le sandwich entre ses pattes et le grignotait.

– Elle mange comme une dame, a dit Dale en me lançant un sandwich. Extra-croustillant – mon beurre de cacahuète préféré.

– Tu n'as pas sommeil ? j'ai demandé.

Il a bâillé.

– C'est pas ça. Mais Lavender parle dans son sommeil.

Mon cœur a fait un bond.

– Vraiment ? Est-ce qu'il m'a mentionnée ?

– Non, à moins que tu n'aies changé ton nom en Sycomore 200. Quel genre de photos t'as là ? il a demandé en coulant un œil dans mon scrapbook.

– Des photos que Miss Lana a rapportées de Charleston.

Dale mâchait son sandwich, ses cheveux hérissés en un halo déchiqueté, son pyjama bleu pâle boutonné de travers. J'ai parcouru sa chambre des yeux – le papier peint jauni, les modèles réduits de bolides NASCAR que son papa lui donne chaque année pour son anniversaire alors qu'il veut une guitare, la petite collection d'haltères.

– Depuis quand tu fais de la muscu ? je lui ai demandé.

– Depuis jamais. C'est Lavender qui me les a donnés. Il m'a conseillé de les laisser prendre la poussière jusqu'à ma puberté. Ensuite je pourrai les utiliser ou les vendre, comme je veux.

Il a enfoncé le reste de son sandwich dans sa bouche et s'est léché le bout des doigts.

— Alors, quand est-ce qu'on commence ?

— Commencer quoi ?

— À parler indices, il a dit en prenant mon calepin de la table de chevet et en me le tendant. Sur Miss Lana.

Il a froncé les sourcils et s'est penché vers moi.

— Elle a… été… kidnappée ! il a dit lentement en élevant la voix à la fin comme si j'étais devenue crétine. On est des détectives ou quoi ?

— Tu parles de détectives. Qui ne peuvent même pas distinguer un braqueur de banque d'un garde du corps.

— On va trouver Miss Lana, Mo, il a dit. On va faire comme Miss Retzyl nous a appris. Tu te rappelles ? Définir le problème, puis le résoudre. Problème ?

Il a incliné la tête comme le fait Miss Retzyl quand il se décourage en maths.

J'ai soupiré.

— Miss Lana a été kidnappée par Slate.

— Parce que ?

— Comment je saurais ? j'ai gémi. Ça n'a aucun sens.

— Chhhht. Tu vas réveiller Mama.

Il a tiré l'album de Miss Lana vers lui.

— Pourquoi quelqu'un voudrait emmener Miss Lana ? Je veux dire, elle est sympa mais elle rend le Colonel tellement dingue qu'il passe la moitié du temps ailleurs.

Il a relevé la tête de l'album.

– Sans vouloir dire du mal. J'adore Miss Lana.

– Je sais. Je l'aime aussi.

– Ça pourrait être accidentel, il a suggéré. Peut-être que Slate a cru qu'elle était une star – Cher, par exemple. Elle portait sa perruque... Non, il a soupiré, m'évitant d'avoir à démolir sa théorie. C'est pas ça.

– Peut-être qu'elle l'a surpris, j'ai dit. Peut-être qu'elle l'a trouvé en train de mettre à sac le salon alors qu'il cherchait... quelque chose. Ou le Colonel. Slate était déjà venu une fois chez toi. Tu te rappelles ? La nuit où Mr Jesse est mort.

– C'est vrai, il a confirmé en tournant une page de l'album. C'est qui là ?

J'ai jeté un coup d'œil à la photo.

– Miss Lana avant son éclosion.

Il est arrivé à son collage du club de théâtre.

– Waouh, il a murmuré en bâillant. Quelle éclosion. Pourquoi un braqueur de banque emmènerait Miss Lana ? Qu'est-ce que veulent les braqueurs de banque ?

– De l'argent ? j'ai proposé alors qu'il arrivait à la photo du jeune Colonel, avec moi sur son genou. Seulement elle en a pas. Ni le Colonel, sauf si...

Je me suis interrompue, fixant la photo, puis la valise ouverte sur la table.

Dale a levé les yeux.

- Sauf si quoi ?

– Sauf si Slate a gobé cette vieille rumeur. À propos de la valise pleine de fric.

Il a refermé l'album avec un gloussement.

– Il peut pas être aussi bête. Papa a lancé cette rumeur pour que les gens soient gentils avec le Colonel quand il est arrivé en ville.

– Ne sous-estime jamais le pouvoir de la stupidité, Dale. Et si Slate croyait que cette rumeur est vraie ? Et s'il avait kidnappé Miss Lana pour obtenir de l'argent qui n'existe même pas ?

Dale s'est gratté la tête.

– Même si c'était vrai, on doit quand même trouver un moyen de la ramener.

Il s'est levé et étiré.

– La nuit porte conseil, Mo, il a dit en prenant l'album. Je peux l'emporter ? Je pourrai l'étudier pendant que Lavender marmonne. Ne t'inquiète pas.

J'ai fait oui de la tête et Elizabeth II a bondi sur ses pattes.

– Liz, il a dit, tu restes avec Mo.

Alors qu'il refermait la porte, une photo a volé de l'album. Dessus, le Colonel jeune et Miss Lana se tiennent bras dessus bras dessous devant une vieille église et me sourient ; le vent fouette les cheveux de Miss Lana autour de son visage. Je l'ai posée sur la table, ai éteint la lampe et me suis remise au lit.

J'ai fermé les yeux et essayé de sentir où elle était. *S'il te plaît, Miss Lana,* je me suis dit très fort, *envoie-moi tes pensées. Je suis dans la maison de Miss Rose.*

Finalement, j'ai repoussé le drap et suis allée me poster à la fenêtre donnant sur la grange. Le ciel nocturne me fixait, patient et noir, habillé de larges gerbes d'étoiles.

La voix du Colonel m'a trouvée, calme et claire : « *Quand tu te sens perdue, laisse les étoiles t'endormir de leur chant. Tu te réveilleras nouvelle. Tu comprends ce que je te dis, soldat ?* »

– Je crois que je comprends maintenant, chef, j'ai murmuré.

J'ai traîné le pouf poire de Dale jusqu'à la fenêtre et me suis endormie en écoutant les étoiles.

20 – Une valise de dollars

Le lendemain matin, j'ai annoncé :
— Miss Rose, je veux parler à Joe Starr de la valise de dollars du Colonel et de la nuit où il s'est crashé à l'entrée du bourg.

Assise à la table de la cuisine, elle mélangeait de la crème à son café.

— Cette vieille histoire ? elle a dit, surprise. Pourquoi ?

— Parce que Slate est capable de croire que cette vieille histoire est vraie. Je ne vois que cette raison pour vouloir voler Miss Lana. Et on ne peut pas raconter cette histoire sans parler de l'accident du Colonel.

Lavender est entré nonchalamment et a fait glisser mon scrapbook à travers la table.

— Chouettes photos, il a dit en sortant un panier d'œufs du réfrigérateur. Tu veux des œufs, Mama ?

Elle a fait non de la tête.

– Mo, tu crois que tu peux faire des toasts ?

Si je suis capable de faire des toasts ? Il veut rire ?

Alors que je laissais tomber deux tranches de pain de mie dans le grille-pain, la porte des toilettes a claqué.

– Dale est levé, j'ai dit en sortant deux tranches de plus du paquet.

J'ai regardé Lavender, qui avait noué un tablier de cuisine à carreaux sur son jean.

– À ton avis, qu'est-ce qu'on devrait faire, Lavender ?

– Je crois qu'on devrait mettre des assiettes et des fourchettes.

– Je veux dire, à propos de Miss Lana, je l'ai corrigé en allant vers le vaisselier.

Il m'a dévisagée, ses yeux bleus très sérieux.

– Je crois qu'on devrait faire tout notre possible. Si cela peut aider de la chercher, je la chercherai. Si parler de la valise ou de l'accident du Colonel peut aider, j'en parlerai. Je suis étonné, d'ailleurs, que personne ne l'ait déjà fait.

Est-ce que j'ai déjà mentionné que j'épouserai Lavender un jour ? Nous adopterons six enfants, dont des jumeaux. Il a versé les œufs dans la poêle.

– Dale, il a tonné, bouge de là !

Le grille-pain a propulsé deux toasts brûlés.

– On doit faire attention en le racontant, j'ai dit. Starr pourrait ne pas prendre le Colonel au sérieux quand il s'apercevra qu'il ne se souvient de rien.

– Oh ! Mo, tout le monde prend le Colonel au sérieux, a dit Miss Rose. Il n'a manqué d'être maire que d'une voix l'année dernière alors qu'il ne s'était même pas présenté.

– Miss Lana a voté contre lui, j'ai dit. Deux fois.

Lavender a servi les œufs à la spatule dans trois assiettes.

– Dale, on mange !

Miss Rose lui a souri alors qu'il s'asseyait à côté d'elle.

– Macon a lancé cette rumeur le jour où j'ai rencontré Lana. Tu étais un bébé si mignon, elle m'a dit.

– Ouais, sauf au niveau de la couche, a dit Lavender en plissant le nez.

Je lui ai expédié une fourchetée d'œufs.

– Ne lance pas ta nourriture, a dit Miss Rose mécaniquement. Macon et moi étions venus en pensant trouver le Colonel avec toi. Mais Lana était là, assise sous la véranda, à te bercer en chantant. Je la revois encore comme si c'était hier, dans cette robe bleu clair, celle avec les petites fleurs et les boutons en nacre qui descendent tout le long du dos.

« Nous nous sommes présentées et, tout à coup, Lana et moi étions les meilleures amies du monde. Au bout d'un moment, nous sommes rentrées à l'intérieur, et il y avait cette vieille valise rayée ouverte par terre, pleine d'articles pour bébé. Et à côté de la valise, il y avait une pile de billets. Le Colonel a ramassé les billets pour les mettre dans la valise et l'a fermée et Macon et lui ont plaisanté sur la « valise de dollars » du Colonel.

Miss Rose a jeté un coup d'œil rieur à Lavender.

– Tu sais comme était ton père avant… Enfin, avant. Bientôt, toute la ville en parlait – comment Lana et le Colonel vivaient du contenu de cette valise de dollars, achetant tout ce dont ils avaient besoin pour installer le café. Je ne vois pas trop l'intérêt d'en parler à Starr, Mo, mais je n'y vois pas de mal non plus, si tu veux le faire.

– Me parler de quoi ? a dit une voix depuis le couloir, et on a tous sursauté.

Je me suis retournée d'un coup, la bouche pleine d'œuf. Starr se tenait sur le pas de la porte, son chapeau à la main. Ses vêtements étaient froissés et fatigués, son menton couvert d'une ombre de barbe.

– Vous avez trouvé Miss Lana ? j'ai demandé.

– Pas encore.

Tout à coup, mes œufs ne me paraissaient plus mangeables.

– Entrez, a dit Miss Rose. Je vous prépare un café.

Il a jeté son chapeau sur le comptoir et s'est enfoncé dans un fauteuil.

– Merci.

Ses yeux ont trouvé les miens.

– Je viens au rapport, comme promis. Nous avons fouillé tous les bâtiments vides du coin. Primo, nous ne l'avons pas trouvée mais nous n'avons pas non plus trouvé de marques de violences. Secundo, nous soupçonnons que Slate conduit une Malibu noire — la dernière voiture appartenant à Dolph Andrews qui n'ait pas été retrouvée. C'est bon à savoir. Tertio, mes hommes fouillent tous les anciens lieux fréquentés par Slate à Winston-Salem. Une bonne chose aussi.

— Winston-Salem ? C'est loin !

— Mais c'est mon terrain — ce qui nous donne un avantage. Maintenant, attendons. Attendre est dur, mais chaque enquêteur sait que ça fait partie du boulot, non ?

J'ai acquiescé de la tête, refoulant mes larmes.

— Voilà mon rapport. Maintenant, qu'est-ce que tu voulais me dire ?

J'ai repoussé mon assiette alors que Dale entrait discrètement.

— Je voulais vous parler d'une valise, j'ai dit en essayant de ne pas pleurer.

— En fait, a dit Miss Rose, c'est une vieille *rumeur* à propos du Colonel et d'une valise de billets.

Starr a froncé les sourcils.

— De billets ?

Dale a contourné Starr et pris un toast de mon assiette. Vous pourriez dire à Dale que la fin du monde est arrivée, ça ne lui couperait pas l'appétit.

— C'était un mensonge, j'ai dit en retrouvant ma voix. Le papa de Dale l'a raconté après l'accident de voiture qui a amené le Colonel ici et lui a fait oublier son passé. (Bizarrement, l'histoire ne faisait pas si bon effet, dite à voix haute.) Mais l'important, c'est que Slate peut croire que cette rumeur est vraie. Je me dis que c'est pour ça qu'il a kidnappé Miss Lana.

Starr a hoché la tête.

– J'ai entendu dire que le Colonel a des problèmes de mémoire. Si tu m'en disais plus ?

J'ai ouvert l'album et en ai sorti la feuille portant le récit du Colonel.

– Voici l'histoire telle qu'il l'a écrite, j'ai dit. Vous pouvez sauter la première partie. C'est sur moi. La seconde partie est sur lui.

À ma surprise, il a lu l'ensemble tout haut :

Cher soldat,

Je sais que tu te demandes comment nous sommes arrivés ici, à Port-Tupelo.

Tu es née pendant un ouragan. J'imagine que ta mère a fait ce que font les gens, les jours de tempête : elle a acheté à manger, arrimé les meubles de la véranda, s'est endormie en écoutant le vent. Personne ne s'attendait à une inondation.

Comme d'autres, elle s'est réveillée dans le noir, surprise par le bruit sourd des meubles contre les murs. Elle a jeté ses jambes par-dessus le bord du lit et a hurlé. L'eau montait jusqu'à ses genoux. Elle a pataugé jusqu'à la véranda et escaladé la treille tandis que des morceaux de la vie des autres dérivaient autour d'elle : un fauteuil, un bidon d'huile, un poulailler avec un coq trempé perché sur un côté. Tu es née alors que l'eau montait jusqu'au toit et que son monde se rétrécissait jusqu'au néant.

Au loin, je crois qu'elle a dû apercevoir une lueur d'espoir : un panneau publicitaire arraché qui tournoyait follement sur la marée. Elle t'a enveloppée dans sa chemise de nuit alors que le panneau glissait à travers le toit. Doucement, elle t'a placée là, puis a crié alors que le radeau de fortune lui échappait des mains. Tu as tournoyé au loin, ma chère. Et tu n'avais pas peur.

Moi, de mon côté, j'étais fou de terreur.

– Le passage qui suit est plus sur le Colonel, j'ai interrompu.

Starr a tourné la page :

Je me suis réveillé dans une voiture accidentée, alors qu'une tempête faisait rage, des hurlements plein la tête. Les vents rugissaient. Les arbres tombaient. Le monde se noyait.

Qui étais-je ? Je ne m'en souvenais pas. D'où venais-je ? Je ne savais pas.

J'ai glissé au bas du promontoire qui surplombait la crique, en arrachant des poignées de kudzu pour amortir ma chute, et me suis accroupi au bord de la crique. Mes chaussures en cuir se sont enfoncées dans la boue. J'ai serré mes genoux dans mes bras et me suis balancé pour m'empêcher de hurler.

Je ne savais pas qu'il y avait une digue en amont. Je ne savais pas qu'elle allait céder.

« *Pourquoi, mon Dieu ? j'ai crié. Que veux-tu de moi ? Envoie-moi un signe.* »

À cet instant, ton panneau a déboulé du haut d'un mur d'eau jusqu'à la rive en me frappant à l'arrière du crâne. J'ai tendu le bras pour retrouver mon équilibre et touché ce que j'ai cru être un chiot. Puis, tu m'as attrapé le doigt. Mon Dieu, *j'ai pensé.* C'est un bébé. *Et je me suis évanoui. C'est comme ça que Macon nous a trouvés le lendemain − moi inconscient sur la moitié du panneau, toi recroquevillée dans mes bras, suçant la pochette de mon uniforme. La moitié de panneau annonçait :* « ... Café... Propriétaire ». *Notre chemin semblait tracé.*

J'aimerai toujours ta mère pour t'avoir laissée partir, soldat, et je t'aimerai toujours pour avoir tenu bon.

Baisers,

Le Colonel

P.-S. : Je m'excuse de t'avoir appelée Moïse. Je ne savais pas que tu étais une fille jusqu'à ce qu'il soit trop tard.

J'ai glissé mon assiette vers Starr.

− Essayez ce toast noirci. Je l'ai fait spécialement. J'espère que vous ne prenez pas mal ces histoires sur le Colonel.

− J'essaye. De combien d'argent parle cette rumeur ?

− Oh ! a dit Miss Rose, nettoyant des miettes imaginaires de la table. Trente mille dollars, environ.

Le téléphone a sonné et Dale a trottiné dans le couloir vers le salon.

– Trente mille dollars ? a postillonné Starr, rougissant autour de son col de chemise.

– C'est juste une rumeur, j'ai précisé.

– Vraiment ? C'est un bon tour de passe-passe de construire un vrai café avec une rumeur d'argent, il a dit.

Je n'avais pas pensé à ça. J'ai regardé Miss Rose.

– Le Colonel avait *un peu* d'argent liquide quand il est arrivé ici, elle a dit. Lana en a apporté... Et Macon appréciait le Colonel. Il a pu lui prêter de l'argent, pour ce que j'en sais. Notre situation était meilleure, à l'époque.

Starr a passé son doigt le long de son sourcil.

– Est-ce qu'il reste de cet argent ?

J'ai pensé au billet d'un dollar au-dessus de la porte et à mon billet de cinq d'urgence dans ma valise.

– J'en doute, a dit Miss Rose. Autant que je sache, leur argent a été épuisé avant que Mo puisse marcher. Sauf le billet d'un dollar au-dessus de la porte de la cuisine.

Elle a ri comme un carillon à vent à l'ombre d'une véranda.

– Lana a acheté le premier plat du jour au café du Colonel et, si ma mémoire est bonne, elle l'a payé avec son argent à *lui*. Il l'a encadré et accroché au mur le lendemain.

— Formidable. Je vais vérifier le numéro de série, a dit Starr. Voir s'il est lié à Slate.

— Quoi ? Le Colonel n'est pas un bandit, j'ai dit en montant la voix. Je vous ai pas raconté ça pour que vous alliez vérifier un fichu numéro de série.

— Calme-toi, Mo, a dit Lavender. L'inspecteur Starr essaye d'aider.

— Mo, tout ce que j'apprends me rapproche du moment où je retrouverai Lana, a dit Starr.

Il s'est penché en avant, mettant ses coudes sur la table — une chose que Miss Rose ne permet pas.

— Je travaille l'affaire sous tous les angles que je trouve, d'accord ?

Il a jeté un coup d'œil à mon assiette.

— Quelqu'un va manger ce toast ?

— Servez-vous, a dit Miss Rose alors que Dale revenait d'un pas lourd à la cuisine. Qui était au téléphone, chéri ?

— Slate.

Lavender et Starr se sont levés d'un bond.

— Pas la peine de vous lever, a dit Dale. Il a dit qu'il rappellerait plus tard.

21 – Rançon

Vers onze heures, Grand-mère Miss Lacy Thornton a frappé à la porte.

– Rose ? Mo est là ? J'ai une petite faim et, avec le café entouré de ruban de police, j'ai pensé que je pourrais déjeuner ici aujourd'hui – si elle est disponible.

Starr a levé les yeux de son engin de localisation téléphonique.

– Elle vient pour déjeuner ? il a chuchoté à l'adjointe Marla. Pendant une enquête ? Elle est dingue ?

J'ai tendu le tournevis à l'adjointe.

– Je vais faire comme si je n'avais pas entendu, j'ai dit, parce que c'est pratiquement ma grand-mère dont vous parlez. Ça ne vous ferait pas de mal de montrer un peu de respect.

Je me suis tournée vers la porte.

— Je suis là, Grand-maman Miss Lacy, j'ai crié. Miss Rose est dans le jardin et Lavender travaille sur sa voiture. Entrez, je vous ferai un sandwich. Miss Rose a du pain de mie Merveille.

La porte-moustiquaire s'est ouverte en grinçant.

— S'il te plaît, chérie, ne m'appelle pas Grand-maman. Tu sais que je préfère Grand-mère.

Elle a souri à Starr et lui a tendu une main fragile et veinée comme un bébé oiseau.

— Inspecteur Starr, elle a dit.

— M'dame, il a fait en appliquant à sa main une douce pression.

— Voulez-vous un beurre de cacahuète-confiture ? je lui ai demandé.

— Ne t'embête pas, ma chérie, elle a répondu. J'ai un panier de poulet rôti dans la Buick. Mettons la nappe dans la véranda. Inspecteur ? Adjointe ? Vous êtes une adjointe en titre, n'est-ce pas, ma chère ?

— Oui, m'dame, a répondu cette dernière en se redressant bien droite.

Le sourire de Grand-mère Miss Lacy Thornton s'est encore élargi

— C'est merveilleux, elle s'est exclamée. Voudrez-vous tous les deux vous joindre à notre déjeuner sur le pouce ?

— Moi oui, a dit Dale en débouchant du couloir. Je vais nous chercher du thé glacé.

— Merci, Dale. Ce serait merveilleux.

J'ai suivi Grand-mère Miss Lacy Thornton dans la véranda et l'ai aidée à déplier sa nappe à petits carreaux jaunes. Elle avait apporté un festin : poulet rôti, œufs mayonnaise, salade de chou, salade de pommes de terre et petits pains. Alors qu'elle faisait passer les assiettes, le maire Little a remonté l'allée dans sa jeep cabossée.

– Puis-je me joindre à vous ? il a demandé en sortant un sac en papier de sa banquette avant.

– Faites comme chez vous, j'ai dit.

Il a traversé la véranda sur la pointe des pieds, s'est débarrassé d'un coup d'épaule de sa veste en coton rayée et l'a pliée sur le dos de la balancelle.

– Désolé d'apprendre les récents désagréments, Mo, il a dit. J'aurais dû passer plus tôt mais je coordonne la surveillance de l'ouragan. Je doute qu'il se dirige vers nous mais, au cas où il le ferait, vos représentants civils seront prêts à agir. J'ouvrirai peut-être l'école pour les réfugiés.

– Ils peuvent utiliser mon pupitre, a proposé Dale.

M. le maire Little s'est installé dans la balancelle et a lissé sa serviette par-dessus sa cravate tandis que Lavender et Sam arrivaient à fond de train dans le pick-up GMC. Sam a grimpé l'escalier d'un bond et m'a tendu une poignée de lys orange.

– J'admire tant les lys, a murmuré Grand-mère Miss Lacy Thornton. Ils sont aussi ravissants que résistants.

Sam a souri.

– Oui, m'dame, il a dit. Tout comme Mo.

– Je vais m'étouffer, a fait Dale tout bas alors que je filais chercher un pichet d'eau à la cuisine.

À midi, la moitié du bourg avait recouvert le jardin de Miss Rose, bavardant et dégustant chacun le pique-nique qu'il avait apporté. Thes et le révérend Thompson se sont fait une place parmi les dames aux azalées, qui avaient investi la table du jardin. Attila Céleste et sa mère étaient assises à côté de leur Cadillac, à manger des raisins et des bâtons de carotte. La famille de Skeeter a étendu une couverture sur la pelouse.

Quand Skeeter s'est dirigée vers le monospace familial, je l'ai suivie.

– Skeeter, j'ai besoin que tu vérifies deux numéros de série pour moi. Celui d'un billet de cent dollars de Mr Jesse et...

J'ai difficilement avalé ma salive avant de continuer en lui tendant une page de mon carnet :

– Et celui d'un billet de cinq. Je les ai notés pour toi.

– Je ne sais pas, Mo, elle a dit, l'air sceptique. Mon cousin travaille à la banque *drive-in* de Kinston mais je ne crois pas que... Enfin... Laisse-moi voir ce que je peux faire.

La première fois que le téléphone de Miss Rose a sonné, tout le monde s'est figé.

– Starr est à l'intérieur, j'ai annoncé. Ils ont un localisateur d'appel. Continuez à manger.

Ils ont hoché la tête. Je me suis rapprochée de la porte en faisant semblant de ne pas écouter alors que Miss Rose prenait l'appel :

– Oh, bonjour... Non ! C'est affreux, mes tomates l'ont attrapé aussi...

Dale a mis ses mains en porte-voix.

– C'est Wilt ! il a clamé.

– Dommage, a soupiré M. le maire.

Lavender a posé son Pepsi en équilibre sur la rambarde de la véranda.

– Un localisateur d'appels ? De quel genre ?

Dale a haussé les épaules.

– Aucune idée. Y a des fils, c'est tout ce que je sais.

– C'est l'équipement dernier cri venu de Winston-Salem, j'ai dit en prenant un œuf mayo. J'ai tenu les tournevis alors j'ai pu le voir de près. Écouteurs, cadrans et tout. L'adjointe Marla l'a monté. C'est un génie. M'étonnerait pas qu'un jour elle passe au FBI.

Sam a tranché un petit pain au miel en deux avec son canif.

– Mo, si je pouvais, j'irais volontiers démolir le portrait à celui qui a enlevé Miss Lana. Si tu me demandes...

– Prends un biscuit, l'a interrompu Lavender en lui tendant un paquet de croquants à l'orange.

Starr maîtrise la situation, Sam. Tout ce qu'on a à faire, c'est rester calme. Pas vrai, Mo ?

J'ai opiné, en souhaitant me sentir aussi sûre qu'il en avait l'air.

Une demi-heure plus tard, le téléphone a carillonné une deuxième fois alors que les pique-niqueurs remballaient leurs affaires. À nouveau, tout le monde s'est figé, et on aurait dit que le jardin de Miss Rose était plein de mannequins en train de pique-niquer. Mon cœur battait fort tandis que Dale s'adossait au cadre de la porte et tendait l'oreille.

— Démarcheur essayant de refiler des vacances gratuites à Mama dans un endroit où elle n'irait même pas si on la payait, a crié Dale, et les convives ont regagné leurs véhicules.

Du coin de l'œil, j'ai aperçu Attila Céleste se diriger vers nous. Allons bon.

— Hé ! elle a dit en posant deux grandes bouteilles bleues sur la véranda.

Apparemment, elle avait retrouvé son aplomb.

— C'est quoi, ça ? j'ai demandé.

— De jolies bouteilles. Avec de beaux bouchons.

— C'est vrai, a dit Dale en lui décochant un sourire ravageur. Très jolies bouteilles.

Attila lui a fait un rapide sourire et a détourné les yeux.

— En fait, ça fait un moment que je les ai sur le rebord de ma fenêtre à prendre le soleil. Elles m'ont fait penser à toi, Mo, parce que celles que tu envoies sont laides. Des bouteilles de vinaigre, de sauce piquante. Elles ont l'air minables. Qui est-ce qui les ramasserait ? Pas moi. Et peut-être pas ta mère. Je me suis dit que tu pourrais avoir plus de chance avec celles-ci.

J'ai hésité. Attila était-elle devenue gentille ?

Elle a rougi.

– De toute façon, j'en ai assez de les voir et, comme cette idée est assez idiote pour te plaire, je les ai apportées.

Elle a jeté un coup d'œil à Dale, qui se lissait les cheveux.

– Tu sais, Mo, j'ai toujours pensé que tu avais de la chance d'avoir deux mères, elle a continué. Miss Lana et une mère imaginaire.

Le mot m'a frappée comme une éclaboussure d'eau froide.

– Une mère imaginaire ?

– Enfin, peut-être qu'*imaginaire* n'est pas le bon mot…

– Anna Céleste ! a braillé Mrs Simpson d'une voix perçante, le regard exaspéré et les poings sur ses hanches osseuses.

– J'arrive, Maman.

– Attila ? j'ai dit alors qu'elle rejoignait sa mère. Merci. Pour les bouteilles. Elles sont jolies.

– Pas de problème, Mo-rue, elle a répondu avant de disparaître.

Grand-mère Miss Lacy Thornton était une des dernières à finir son déjeuner, surtout parce qu'elle avait apporté des tranches de son fameux gâteau à la noix de coco maison, qu'elle avait gardé caché pour éviter l'émeute.

– Ta famille est bizarre mais très aimée, elle a dit en me glissant un morceau de gâteau.

J'ai hoché la tête, intimidée.

– Le déjeuner était délicieux. Merci d'être venue.

– Avec plaisir, ma chérie, elle a dit en me caressant le visage. C'est moi qui te remercie de ton accueil.

Le troisième coup de téléphone est arrivé juste alors que sa voiture s'éloignait.

– Mo, m'a appelée Miss Rose d'une voix tendue. C'est pour toi.

Quand je suis entrée, Starr a chuchoté :

– C'est Slate qui te demande. Normalement je ne laisserais pas un gosse faire ça mais…

– Pas de problème, j'ai dit. Je suis professionnelle.

Il a hésité.

– Sois juste polie. Reste calme et fais-le parler pour qu'on puisse localiser l'appel. C'est tout. Ne lui dis pas que je suis ici et ne lui dis pas que nous l'avons identifié.

– Sois naturelle, a chuchoté Dale en se pressant contre moi.

– Je *suis* naturelle, j'ai grondé en prenant le combiné.

J'avais l'impression que mon cœur allait déchirer mon t-shirt tellement j'avais peur.

269

— Recule, Dale. Laisse-moi la place de travailler. Tu respires dans mon cou.

L'adjointe Marla a levé la main, stoppant mes paroles alors qu'elle ajustait un cadran.

— Vas-y, elle a chuchoté en pointant son doigt vers moi comme si j'étais à la télé.

— Mo LoBeau à l'appareil, j'ai dit d'une voix de verre. Vous feriez mieux de ne pas faire de mal à Miss Lana ou vous aurez affaire à moi.

La voix au bout du fil était faible et indistincte.

— C'est la gamine du Colonel ?

— Bien sûr que c'est moi, cerveau de reptile, j'ai balancé. Qu'est-ce que vous voulez ? Qu'est-ce que vous avez fait de Miss Lana ? Le Colonel est là ?

— Tu es seule ?

— Vous venez de parler à Miss Rose. Comment est-ce que je pourrais être seule ?

J'ai parcouru la pièce des yeux. Starr et l'adjointe Marla étaient penchés sur leur matériel ; Miss Rose se tenait à côté de la bibliothèque, un bras entourant les épaules de Dale ; Lavender et Sam se tenaient voûtés dans l'encadrement de la porte comme deux chiens de garde.

— Ouais, j'ai dit. À part Miss Rose, je suis seule. Qui est à l'appareil ?

Starr m'a félicitée d'un pouce levé.

— C'est moi qui pose les questions.

— Qui a décidé de ça ? Vous êtes une espèce de pervers qui appelle les petites filles et leur demande si elles sont toutes seules ? Parce que je n'ai pas le droit de parler aux pervers. C'est le règlement. Miss Lana l'a fait pour moi. Si vous ne me croyez pas, demandez-lui. Elle est là, hein ? D'ailleurs, passez-la-moi, que je vérifie par moi-même.

Pas de réponse.

— Elle est bien avec vous, n'est-ce pas ?

Starr a essayé de me prendre le téléphone, mais j'ai tourné le dos pour l'esquiver.

— Où êtes-vous ? j'ai crié. Où est Miss Lana ?

L'appareil est resté silencieux hormis un grésillement lointain et, dans le fond, un bruit bizarre : Criiiiiik, comme une balançoire au bout d'une chaîne rouillée. Puis la voix de Slate est arrivée, froide et méchante.

— Tu veux revoir le Colonel et Miss Lana vivants ?

— Bien sûr que je le veux, idiot ! j'ai crié. Ramène-les maintenant !

Starr m'a arraché le téléphone des mains.

— Allô ? Ici l'inspecteur Joe Starr. Qui est-ce ?

Ses yeux se sont rapetissés.

— Eh bien, je viens d'arriver. Ce qui est une chance puisque c'est à moi que vous avez besoin de parler.

Il a écouté pendant un moment.

— D'accord, il a dit enfin. Je verrai ce que je peux faire, mais j'ai besoin d'abord de parler à Lana. Ou au Colonel. Vous choisissez.

– Donnez-moi ça ! j'ai crié en sautant pour m'emparer du téléphone. J'ai autre chose à lui dire.

Lavender m'a attrapée par la taille et m'a traînée sous la véranda, où il m'a poussée dans la balancelle.

– Calme-toi, soldat, il a dit.

Il ne m'avait jamais appelée « soldat » avant. Ma colère s'est apaisée comme des cendres autour d'un feu.

– Laisse Starr s'occuper de ça, il a ajouté en s'asseyant à côté de moi. C'est son boulot. Tu as été formidable, mais Starr connaît le baragouin psychologique.

– T'as pu le reconnaître ? a demandé Dale. C'était vraiment Slate ?

J'ai haussé les épaules, nageant dans le malheur. Pourquoi je n'arrive jamais à me taire ? Pourquoi je n'avais pas fait ce que Starr m'avait demandé ?

– Je suppose. Il y avait trop de crépitements sur la ligne. On aurait dit... je ne sais pas. Comme quelque chose de métallique. Quelque chose qui grince...

– Ne t'inquiète pas, m'a rassurée Lavender. Ils vont localiser l'appel.

Malheureusement, ils n'ont pas réussi.

– C'était bien Slate, a confirmé Starr en émergeant quelques minutes plus tard sous la véranda. Marla dit qu'il a raccroché avant qu'elle ne puisse le localiser. Je croyais pourtant qu'on l'avait eu. Mais il est malin.

Il a rapproché une chaise pour s'asseoir en face de moi.

— Vous avez parlé à Miss Lana ? j'ai demandé.

— Pas encore. Et toi ?

J'ai secoué la tête.

— Ce n'est pas grave. D'une manière ou d'une autre, Slate a besoin d'elle. Nous lui parlerons la prochaine fois.

— Je m'excuse, je lui ai dit alors que Miss Rose nous rejoignait. J'ai travaillé sur mon mauvais caractère mais parfois, c'est comme si ma bouche court-circuitait mon cerveau.

— Tu t'en es bien sortie, a dit Starr.

Il a hésité.

— Mo, qu'est-ce que tu sais des finances du Colonel ? Ou de Miss Lana ?

— Leur argent ? j'ai répondu en haussant les épaules. Autant que je sache, Miss Lana n'en a pas. Le Colonel, lui, a le café. Je suppose qu'il vaut une fortune. Je veux dire, sa maison a vue sur la crique. Qu'est-ce que vous en pensez, Miss Rose ?

Elle a balancé la tête.

— Le café ? Il vaut probablement dans les quatre-vingt mille.

Dale a sifflé entre ses dents.

— Je ne savais pas que tu étais riche, il a dit.

— Quatre-vingt mille ? C'est tout ? a demandé Starr.

Elle a hoché la tête.

— Regardez autour de vous, inspecteur. Ce n'est pas Winston-Salem. La terre vaut toujours le prix de la terre par ici.

L'inspecteur s'est frotté le sourcil, comme s'il pouvait en tirer une idée, avant de marmonner :

— Quatre-vingt mille dollars... Est-ce que le Colonel a d'autres biens ? De l'immobilier ? Des actions ?

J'ai secoué la tête.

— Il paye généralement avec du cash sorti du gros bidon.

— Slate demande une rançon. Quand un kidnappeur demande une rançon, il pense que la famille peut la payer. Mais dans ce cas...

— Une rançon ? s'est exclamé Dale. Combien ?

— Un demi-million de dollars, a lâché Starr.

Miss Rose s'est laissée tomber sur une chaise à côté de moi et Lavender a avalé sa salive bruyamment.

— Un demi-million de dollars ? Le Colonel n'a pas cette somme. Mince, tout le bourg réuni n'y arriverait même pas.

— Je sais, a dit Starr. Mais Slate pense qu'il l'a, et il semble croire que Mo sait comment mettre la main dessus.

— Moi ? j'ai crié. J'ai que mon argent de poche et les pourboires, moins les amendes que je récolte chaque semaine à cause du désordre de ma chambre. J'ai de la chance quand il me reste cinq dollars !

Dale a pâli.

— Et si… si elle ne peut pas réunir cette somme ?
il a dit. Slate a déjà tué Mr Jesse. Il ne va pas…
Je veux dire, il ne tuerait pas…

Je l'ai senti venir comme on sent un orage avant
qu'il n'arrive.

— Mo ? a redemandé Starr. Peux-tu penser à
quoi que ce soit qui pourrait m'aider ?

Je voulais dire non.

Au lieu de cela, j'ai vomi le poulet rôti et les œufs
mayo de Grand-mère Miss Lacy Thornton partout
sous la véranda, sur mes lys et sur les chaussures
en cuir noir bien cirées de Starr.

22 – Entourée
de personne

Je me suis réveillée pelotonnée au fond du lit duveteux de Miss Rose, le soleil filtrant à travers les rideaux bordés de dentelle et jouant le long de son papier peint décoloré.

– Mo, a chuchoté Dale en frappant doucement à la porte. T'es levée ?

– Ouais, j'ai lancé. Entre.

Il a coulé un regard par la porte entrouverte.

– T'as fini de dégobiller ?

Dale ne supporte pas de voir les autres vomir. Ça lui provoque ce qu'on appelle des nausées synchronisées. Lavender dit que si on en faisait un sport olympique, son frère remporterait l'or haut la main. Dale a posé une assiette recouverte d'une serviette en papier sur le lit à côté de moi.

– Sandwich à la tomate, il a annoncé. Je l'ai fait comme tu l'aimes : grosses tomates du jardin, double ration de mayo, sel et poivre

Dale et Miss Rose mangent beaucoup de légumes du jardin. Ils démarrent leurs graines tôt dans la saison, sous une resserre au fond du jardin.

– Merci, j'ai dit. Je meurs de faim.

J'ai avalé mon sandwich en un temps record, puis je me suis essuyé la bouche et adossée à nouveau aux oreillers.

– C'est calme. Où est tout le monde ?

– Mama est allée à Snow Hill voir un avocat.

– Un avocat ? Qui est en prison, cette fois ?

– Personne. C'est pour faire déménager papa. Pour de bon, je veux dire. Elle a dit de ne pas m'inquiéter, alors c'est ce que je fais.

Dale peut choisir de ne pas s'inquiéter comme d'autres choisissent de ne pas porter de chaussettes. Miss Lana dit que moi, j'ai plus la mentalité du fox-terrier Jack Russell[1] : j'analyse les choses par jeu.

J'ai jeté un coup d'œil à la pendule sur le manteau de la cheminée.

– Miss Rose a besoin de remonter sa pendule.

– Non, il a dit. Huit heures du matin est la bonne heure.

Je me suis redressée d'un coup.

– On est vendredi matin ?

1. Petit chien de chasse réputé pour son intelligence et sa vitalité. (N.d.T.)

– Ouaip. Tu as dormi tout jeudi après-midi, et toute la nuit aussi. Mama dit que tu étais totalement rétamée par l'inquiétude.

– Vendredi ?

Ma vie s'est refermée sur moi comme une nasse de mauvais rêves. Je n'arrivais plus à respirer.

– Ils ont retrouvé Miss Lana ?

– Pas encore, a répondu Dale en détournant les yeux.

– Le Colonel ?

Il a secoué la tête.

J'ai fixé la broderie du couvre-lit jusqu'à ce que je sois sûre que je n'allais pas pleurer.

– Où est Starr ? Et l'adjointe Marla ?

– Il est sorti et elle est au salon. Starr dit que Marla peut gérer Slate s'il appelle.

Dale s'est perché prudemment au bord de mon lit, prêt à bondir vers la porte au premier signe de nausée de ma part. J'ai essayé de me calmer.

C'est une jolie chambre que celle de Miss Rose – sans aucune trace du papa de Dale. Une antique pendule sur le dessus de cheminée, un fauteuil moelleux à côté de la fenêtre ouverte, un bureau contre le mur. Un coup de vent a fait voleter des feuilles sur le bureau et j'ai sauté à bas du lit.

– Je prends ! j'ai dit en fonçant à travers le tapis de laine élimé.

J'ai ramassé les feuillets au vol.

– Eh, vous partez en vacances ?

Le visage de Dale s'est éclairé.

– Ah bon ?

– On dirait bien, j'ai confirmé en parcourant les prospectus. Musée de la vie rurale, musée du tabac... Ça a l'air ennuyeux.

– Eh bien ne viens pas avec nous, il a dit en me les prenant des mains. Allez, Mo. Mama n'a pas amené ta gerbeuse majesté dans sa chambre pour que tu fouines dans ses affaires, il a dit en rabattant le cylindre. Faut que je donne à boire à Cléo et que je répare tous ces trucs cassés dans la grange. Tu veux regarder ? En même temps, on pourra parler de l'affaire Miss Lana.

– Regarder n'est pas mon truc, j'ai dit en glissant mes pieds dans mes baskets, mais je vais aider.

J'ai ouvert la porte et, bam, je suis tombée en plein sur l'adjointe Marla.

– Qu'est-ce que vous faites là ? je lui ai demandé, une sensation de malaise me picotant la nuque.

– Moi ? elle a fait avec un large sourire, en ramenant ses cheveux derrière l'oreille. Je venais voir où tu en étais. Comment te sens-tu, Mo ?

– Mieux, j'ai dit. Nerveuse, je suppose. Slate a appelé ?

– Non, elle a dit calmement, mais je suis sûre qu'il le fera. Nous sommes prêts. Et nous avons aussi des hommes qui cherchent sur le terrain. Pas de nouvelles, bonnes nouvelles, pas vrai ?

Je ne voyais pas les choses comme ça.

– Slate voulait de l'argent. Pourquoi il n'a pas appelé ?

Elle a glissé son bras sur mes épaules.

– Viens prendre un verre de thé avec moi, elle a dit en me guidant vers la cuisine. Dale aussi.

L'adjointe Marla évoluait dans la cuisine comme si c'était la sienne, remplissant des verres de glace tandis qu'on s'asseyait tous les deux à la table. Elle nous a fait glisser un verre de thé à chacun et s'est assise à côté de moi.

– Mo, elle a commencé en scrutant mon visage. J'ai réfléchi. Slate croit que le Colonel a des tonnes d'argent. Ça veut dire un coffre-fort, un coffret à serrure, un livret bancaire. Si tu as la moindre idée…

– J'ai jamais entendu parler de ça, je lui ai dit. Un demi-million de dollars, c'est dingue. Pourquoi le Colonel aurait autant d'argent ?

– Ouais, a renchéri Dale avant de recracher un glaçon dans son verre. Le seul moyen qu'il aurait eu d'obtenir tant de fric, c'est en braquant une… Oh !

– Sauf que ce n'est pas un voleur, j'ai dit.

L'adjointe Marla a incliné la tête, tout en m'observant.

– Je ne crois pas non plus qu'il en soit un, elle a dit. Mais Slate demande un demi-million de dollars – exactement ce qu'il a volé avec un complice il y a douze ans à Winston-Salem. Drôle de coïncidence, tu ne trouves pas ? Moi si, car l'argent de ce braquage n'a jamais été retrouvé.

Je n'ai pas répondu.

– Mo, a repris l'adjointe Marla, je sais comme c'est dur d'être seule. Je veux retrouver le Colonel et Miss Lana pour toi. Alors, s'il te plaît, essaye de te rappeler si le Colonel a pu dire ou faire quoi que ce soit qui pourrait nous aider. Un compte en banque, une cache… C'est important.

Dale s'est penché loin d'elle et a lancé :

– Elle a déjà dit qu'elle savait pas. En plus, c'est qu'une gamine. Si quelqu'un doit réfléchir, m'est avis que ça devrait être vous et Starr.

Elle a hésité.

– Bien sûr, elle a dit doucement en glissant sa main dans la mienne. Excuse-moi, ma chérie. Parfois j'en fais trop en voulant aider. Dis-moi ce que vous avez prévu pour aujourd'hui, tous les deux.

J'ai retiré ma main.

– On a des corvées.

– Vous voulez venir ? a proposé Dale en désignant du doigt Cléo, par la fenêtre, en train de brouter l'herbe du pré. Cléo est une mule formidable. Elle est moitié Tennessee Walker. Vous pouvez lui donner à boire, si vous voulez.

Le grand sourire de l'adjointe Marla l'a rajeunie.

– Je viendrais volontiers un de ces jours. Où est-ce que vous travaillez, tous les deux ?

– À la grange à tabac, a répondu Dale.

Elle s'est versé un autre verre de thé.

– Bon, alors restez où je peux vous voir. Et s'il se passe quelque chose, appelez-moi. Compris ? Je suis coincée à côté du téléphone jusqu'à ce que Slate appelle.

On s'est dirigés vers la porte.

– C'était bizarre, a dit Dale alors qu'Elizabeth II se faufilait hors d'une cachette pour nous rejoindre. C'était quoi cette histoire de savoir ce que c'est que d'être seule ?

– Elle est orpheline, j'ai dit. Elle m'a raconté.

Il a froncé les sourcils.

– Pourquoi elle te raconterait ça à *toi* ?

– Parce que je lui ai parlé de ma Mère d'Amont. L'adjointe Marla et moi, on a beaucoup en commun.

Il a eu un gloussement moqueur.

– Non, j'crois pas. Elle te manipule.

– Pourquoi elle ferait ça ? Y a rien à y gagner.

– Si, y a un truc à y gagner. C'est juste que tu peux pas encore mettre un nom dessus. Crois-moi, elle est aussi arnaqueuse que mon oncle Mike, et il en a pour trois à cinq ans au trou.

– Tu te méfies d'elle parce qu'elle est la force publique.

Il a haussé les épaules et lancé un bâton dans le champ de tabac.

– Comme tu veux. Va chercher, Liz. Bien joué !

Nous avons marché le reste du chemin en silence.

Skeeter a débarqué une demi-heure plus tard, balançant un attaché-case cabossé au bout de son bras.

– Hé ! elle a fait. Je suis venue en voiture avec maman pour pas déranger la table d'écoutes. Elle vous apporte à tous un ragoût de brocolis.

J'ai eu un choc.

– Du ragoût de brocolis ? Le Plat des morts de ta maman ? a dit Dale en levant les yeux de l'enchevêtrement de vieilles courroies de charrue à ses pieds. Qui est mort ? Qu'est-ce que t'as entendu ?

– Personne, a corrigé Skeeter. Oh, pardon, Mo. Tout va bien. Nous ne savions juste pas quoi apporter pour un enlèvement et ce plat semble réconforter les gens quand quelqu'un… s'en va. En tout cas, j'espère que vous l'aimerez.

– Merci, j'ai dit, mon cœur retrouvant son rythme habituel. C'est gentil.

Skeeter a ouvert son attaché-case.

– En tout cas, je voulais faire mon rapport. Nous avons vérifié ces numéros de série, Mo. Le billet de cent de l'église vient bien du hold-up.

Dale a sifflé.

– Alors Mr Jesse était vraiment dans le coup !

– En tout cas, il était dans le coup du butin, elle a dit. Mais le billet de cinq était propre.

– Vraiment ? je me suis exclamée. Super !

Tout à coup, je me suis sentie riche à millions, même si je n'avais rien en poche.

– Billet de cinq ? a demandé Dale. Quels cinq ?

– Je t'expliquerai plus tard, j'ai dit. Merci, Skeeter.

– Ne me remercie pas. Mon cousin du *drive-in* n'a rien pu faire. Remercie Anna Céleste. Sa grand-tante du côté de sa mère dirige une banque à Wilmington. Sal lui a parlé de ta part.

Elle a jeté un coup d'œil vers la maison. Marla et la mère de Skeeter marchaient vers le monospace, bavardant comme de vieilles amies.

– À bientôt, les Desperados ! elle a lancé.

Alors que Skeeter s'éloignait, Dale a ramassé un paquet de vieilles rênes et s'est mis à en défaire les nœuds. Je sentais son silence chargé de colère. *Quoi encore ?*

Ah oui, c'est vrai. Le billet de cinq dollars.

– Je suppose que tu te demandes pour les cinq dollars, j'ai dit. C'est le billet de cinq d'urgence de ma valise. Celui qui a toujours été là. J'ai vaguement pensé qu'il pourrait être un indice.

– Et pourquoi tu ne m'as rien dit… ?

– Je ne sais pas.

Même à mes oreilles, ça sonnait comme un mensonge…

– Tu pensais que le Colonel était peut-être complice du braquage, alors tu as fait vérifier le numéro du billet sans me le dire, a suggéré Dale d'une voix neutre. Et si ç'avait été l'autre réponse ? S'il faisait partie du butin ? Tu m'en aurais parlé alors ?

Comme je ne répondais pas, il a secoué la tête.

– Je croyais qu'on était associés...

– On l'est, j'ai dit. Je ne t'en ai pas parlé parce que... je ne sais pas. J'aurais dû.

Ses doigts attaquaient le nœud, tirant, secouant.

– Essaye de comprendre, Dale. L'adjointe Marla a raison. Si je n'arrive pas à piger cette histoire, je me retrouve seule. J'ai personne en dehors de ma Mère d'Amont que je ne trouve pas.

– *Personne ?*

Il a laissé tomber les rênes et m'a regardée avec tant de colère que ses lèvres ont blêmi.

– T'as des gens qui viennent jusqu'ici pour te tenir compagnie et t'apporter à manger. T'as Skeeter qui t'aide. T'as Sal qui enfreint son règlement familial pour toi. T'as Anna Céleste qui t'aide alors qu'elle te déteste. T'as moi, et Mama, et Lavender. T'as un plein bourg de « personne », au cas où t'aurais pas remarqué, il a dit, sa voix montant en puissance. Et j'en ai ras le bol d'entendre parler de ta Mère d'Amont. Tu crois que t'es la seule qui a été jetée ? Tu crois qu'Anna Céleste ne se fait pas jeter à chaque fois que sa mère lui lance un regard plein de lames de rasoir ? Tu crois que je me fais pas jeter chaque fois que papa...

Il a serré les lèvres. Il était assis, là, comme un vieillard fatigué et furibond. Puis, il s'est levé d'un bond et m'a dépassée pour aller vers la maison.

Une heure plus tard, j'ai frappé à la porte de l'ancienne chambre de Lavender.

– Dale ?

J'ai tourné la poignée en porcelaine et poussé la porte, qui s'est ouverte dans un soupir.

– Je peux entrer ?

– Si tu veux, il a dit, d'une voix glaciale.

Il était assis de travers dans un fauteuil trop rembourré à côté de la fenêtre, les jambes par-dessus l'accoudoir, en train de feuilleter un vieux numéro du magazine *NASCAR Illustré*. Liz était enroulée au pied du fauteuil.

– Je suis désolée, j'ai dit.

– Vraiment ? il a fait en plissant les yeux sur une photo.

J'ai soupiré. Dale peut être sacrément buté.

– Je sais tout ce que toi et Miss Rose et Lavender faites pour moi. Et je l'apprécie. Je sais que c'est pas un bon moment pour vous tous, avec ton papa qui se comporte comme il fait. Je le déteste parce qu'il te tape, Dale.

Il a tourné une page et haussé les épaules.

– Personne a jamais parlé de…

– J'ai vu les marques. S'il essaye pendant que je suis là, je lui casserai la figure. Je suis une teignenée, et je me débrouille en karaté, je lui ai rappelé.

Il a levé un sourcil, puis les yeux. Enfin.

– Il est deux fois plus grand que toi, Mo. Et il est pas comme Mr Li, à la soirée Karaté. Quand papa tape, c'est du sérieux. Et c'est de pire en pire. C'est pour ça que Mama le met dehors.

– Mr Li dit que peu importe la taille de l'ennemi...

Il m'a regardée droit dans les yeux.

– Ne le frappe pas à moins de vouloir le tuer, Mo. Je sais ce que je dis. Hé, j'ai une idée... Si on parlait plutôt d'un truc dont tu sais quelque chose. Comme ce billet de cinq dollars.

Je me suis assise au bord du lit et j'ai regardé à la ronde. C'était une chambre du passé, pleine de trucs d'enfant laissés en plan.

– Quand Starr a dit qu'il allait vérifier le numéro de série du dollar au-dessus de la porte de la cuisine, j'ai pensé que ce billet de cinq était la seule autre coupure de l'ancien temps que j'avais. Je ne t'ai pas dit parce que... j'avais honte, j'ai avoué en fixant le tapis.

Dale a refermé son magazine.

– Honte du Colonel ?

– Honte de moi, de douter de lui. Je suis désolée. J'espère que tu me pardonneras.

J'ai regardé par la fenêtre. Un drap claquait dans le vent sur le fil à linge de Miss Rose.

Dale a mis son menton dans sa main et m'a dévisagée, ses yeux bleus sérieux au milieu de sa figure tachée de rousseur. Puis, comme le soleil après la pluie :

D'acc, il a dit. Je te pardonne.

Dale m'étonnera toujours.

– Juste comme ça ?

Moi, je ne pardonne jamais. J'aime trop la vengeance.

— Ouais, il a dit. Je suis baptiste. À ce jour, « vite » ou « jamais » sont les deux vitesses que j'aie pour pardonner. Mais à partir de maintenant, Mo, si on est associés, on est associés. Si on l'est pas, on l'est pas. Tu te décides, et maintenant.

— Associés.

Il a sauté sur ses pieds.

— Bien. Donnons un bain à Elizabeth II. Lavender vient dîner, je veux qu'elle sente bon.

— Dale, j'ai dit, tu es le meilleur ami que j'aie.

— Je sais, il a dit avec un grand sourire. Allez, Desperado. Tu laves et je sèche.

Chère Mère d'Amont,

C'est la nuit. Tout le monde dort. Toujours pas de nouvelles du Colonel ou de Miss Lana. Je me sens comme un ciel sans étoiles.

Dale et moi avons eu une dispute aujourd'hui. Puis on s'est réconciliés et on a donné un bain à E-II.

Lavender est venu dîner. Il portait un jean et une chemise en chambray aux manches remontées au coude. Lavender et Sam partent pour Sycomore, demain, presque dans les montagnes. Dimanche, Lavender pilotera dans la course Sycomore 200. Il dit que sa voiture est belle comme un million de dollars avec nos pubs peintes dessus.

L'adjointe Marla est venue aussi. D'ailleurs, elle a écrasé les pommes de terre en purée.

« Bravo pour avoir réalisé ton rêve, elle a dit à Lavender. Ça doit être un sentiment formidable. »

Lavender répandait des petits oignons sur ses fanes de navet.

« Ça l'est, mais les rêves sont changeants. Vous vous en rapprochez et, au moment de mettre la main dessus, ils se changent en autre chose. »

Elle a souri comme les femmes sourient à Lavender, mais je sais qu'elle pense secrètement qu'il est dingue.

L'ouragan a pris la direction de Charleston. J'espère que le cousin Gédéon s'en sortira bien.

J'ai trois bouteilles prêtes à être lancées : deux bleues et une transparente. Lavender va les expédier le long de sa route vers l'ouest. Tu vas peut-être en voir une passer dans le courant. J'espère que ça ne te dérange pas mais les messages disent : « Perdue : Miss Lana. 36 ans. 1 m 67, cheveux roux, 59 kg. Portant avant sa disparition une perruque noire et un kimono rouge. Contacter Mo à Port-Tupelo : 252-555-4663. »

Si tu vois Miss Lana, s'il te plaît, aide-la. Je suis quasiment sûre que le Colonel peut se débrouiller tout seul.

Mo

23 – Chaos créatif

Le lendemain matin, l'ouragan Amy avait touché les eaux chaudes du Gulf Stream et dévié vers le nord.

– Il arrive, a annoncé Miss Rose en éteignant la télévision. Préparez la maison, vous trois. Je vais prendre une douche et aller chercher des provisions – piles, bougies, eau. Dale, trouve l'émetteur-radio, chéri, et assure-toi qu'il marche. Ensuite, attache bien tout dans l'écurie et dans le jardin. Tu peux lui donner un coup de main, Mo ?

J'ai fait oui de la tête tout en essayant de ne pas penser au Colonel et à Miss Lana, mais ça ne marchait pas.

Miss Rose a pris ses clés et m'a fait un rapide câlin.

– Mo, tu sais pourquoi Starr n'a pas trouvé Lana, n'est-ce pas ?

– Parce que Slate est un reptile et qu'on ne peut pas deviner où il se cache et où il va frapper ? j'ai suggéré.

– Parce qu'il est cupide et malin, a dit Miss Rose. Slate croit que Lana vaut un demi-million de dollars. Crois-moi, il va la garder en sécurité pour pouvoir toucher son pactole. Et nous la trouverons, Mo. Nous devons juste garder la foi. D'accord ?

– Oui, m'dame, j'ai dit, en espérant qu'elle avait raison.

Alors qu'elle s'éloignait, j'ai regardé du côté de la grange. À l'est, les nuages se rassemblaient comme une armée d'invasion.

Dale et moi avons arrimé les meubles de la véranda puis continué vers l'écurie. Le vent soufflait fort. Il traversait les champs par vagues, déchirant les petites feuilles de tabac. Tout en regardant les nuages bouillonner vers nous, j'ai pris une décision…

– Si Slate appelle à nouveau, je paye la rançon, j'ai dit à Dale.

– Avec quoi ? il a demandé en grimpant à toute allure l'échelle en bois brut qui montait au grenier à foin de l'écurie. On n'a pas dix dollars à nous deux.

– Slate ne le sait pas.

– T'es dingue. Recule-toi, il a crié en laissant tomber un ballot de foin.

J'ai coupé le lien rugueux du ballot avec son canif et porté une brassée de foin odorant et picotant jusqu'à la stalle de Cléo.

– Elle aura encore plus faim, a dit Dale en regardant le ciel. Elle est toujours affamée pendant un ouragan. Comme moi.

Il a conduit Cléo à la stalle et lui a enlevé sa bride.

– Tout ira bien, il lui a dit en passant sa main le long de son flanc.

On a passé le reste de la matinée à attacher tout ce que le vent pouvait renverser ou voler. Liz restait tout près de nous alors que les nuages s'accumulaient, sombres et menaçants.

– Elle est collante, a dit Dale en la poussant du chemin d'un petit coup de genou. Elle sent la tempête.

À l'heure du déjeuner, l'orage avait mangé la moitié du ciel. La cime des jeunes pins souples ployait dans le vent alors que les chênes et paca-niers géants grondaient et grinçaient.

– Hé ! madame l'adjointe, a hurlé Dale alors qu'on envahissait la cuisine en claquant la porte de derrière. Vous voulez un sandwich au concombre ?

Silence.

Nous l'avons trouvée étendue sur le canapé, endormie bouche ouverte, la main posée sur son pistolet.

– Comment elle peut dormir avec cet ouragan qui arrive ? j'ai demandé.

– Chhhht, a dit Dale. Elle est rentrée tard.

– Elle nous a laissés ? Elle était censée attendre le coup de fil de Slate.

Il a haussé les épaules et on est retournés manger à la cuisine sur la pointe des pieds. À la moitié de nos sandwiches, le téléphone a retenti et nous avons tous les deux sursauté.

– Slate ! j'ai crié en tendant le bras vers l'appareil.

Dale a écarté ma main d'un geste.

– Non, il faut localiser l'appel. Je vais chercher l'adjointe Marla.

Il a foncé vers le salon. Dès qu'il est sorti de la pièce, j'ai attrapé le combiné.

– Slate ? Mo LoBeau. T'as gagné, ordure. Je sais où est ton demi-million de dollars. Je vais t'y conduire dès que tu me rendras le Colonel et Miss Lana. Je les récupère, tu récupères le fric. D'acc ?

La voix à l'autre bout du fil est arrivée faible et lointaine.

– Soldat ?

Mon cœur a explosé comme un feu d'artifice.

– Colonel ?

– Écoute-moi, il a dit. Je me suis enfui…

La communication a faibli puis est revenue :

– … Slate est à mes trousses. Dès que… sème Slate… retourne… libérer Lana.

L'appel est devenu à nouveau inaudible.

– Colonel ?

– ... mon placard... étagère... paquet... à Rose... Ne fais confiance à personne...

– Mais Starr dit...

– Pas confiance... Starr.

– Pourquoi pas ?

J'ai entendu un clic résonner. L'adjointe Marla avait enclenché l'écoute.

– Va... il a dit, la voix pressante.

– J'suis pas obligée, espèce d'abruti, j'ai rétorqué en espérant que le Colonel jouerait le jeu. Je t'ai déjà dit que j'en avais rien à faire de ces vacances gratuites à la noix. Ni l'adjointe Marla. Demande-lui toi-même, tête d'andouille. Elle vient d'arriver sur la ligne.

Ça a marché.

Le Colonel a raccroché et je suis restée plantée dans la cuisine, mon cœur faisant des saltos dans ma poitrine. Le Colonel était libre ! Bientôt, Miss Lana le serait aussi. J'avais envie de rire à gorge déployée. *Il est libre, il est libre, il est libre*, battait mon cœur.

Alors que l'adjointe Marla fonçait dans le couloir, j'ai effacé le sourire de ma figure. *Réfléchis. Si tu lui dis que le Colonel est libre, son premier appel sera pour Starr. Mais on ne peut pas avoir confiance en lui.* Je me suis mordu la lèvre en essayant de me rappeler si elle avait rencontré le Colonel, et si elle avait pu reconnaître sa voix. Elle a répondu à la question pour moi.

– Télévendeur ? elle a demandé en entrant dans la cuisine.

J'ai acquiescé avec un air malheureux. Il fallait que j'aille à la maison en vitesse, et que je sois de retour avant que la tempête ne frappe.

– Ouais, j'ai dit, fausse alerte. Vous pouvez retourner dormir.

– La fatigue m'a rattrapée, elle a dit en s'étirant.

– Pourquoi vous n'étiez pas là la nuit dernière ? j'ai demandé. Slate aurait pu appeler.

– Joe avait besoin de mon aide sur des rapports, elle a répondu. C'était un risque calculé. Qu'est-ce que ce télévendeur avait à fourguer ?

– Une croisière, j'ai dit en souriant. Dans l'ouragan. Allez, Dale, on a encore des choses à arrimer dans la grange à tabac.

– Peut-être qu'on peut laisser ces trucs s'envoler, il a marmonné.

L'adjointe Marla a étouffé un bâillement.

– Restez où je peux vous voir, elle a lancé alors que la porte-moustiquaire claquait derrière nous.

Il m'a fallu dix secondes montre en main pour mettre Dale au parfum.

– Il faut qu'on aille chez moi. Tu dois jurer le secret, j'ai dit. Tu me lâches sur ce coup et ta vie vaudra plus un crachat d'oie.

– J'crois pas que tu devrais menacer un associé. En plus, les oies ne crachent pas, il a dit.

Il a attrapé mon bras pour ajouter :

– Et ta maison est une scène de crime ! Je pourrais être privé de sorties pour le restant de mes jours.

– En tout cas, on serait privés ensemble.

– Génial, il a marmonné.

– T'es avec moi ou pas ?

– J'suis avec toi, il a dit, l'air misérable. Mais tu m'en dois une, Mo LoBeau.

On a attrapé son vieux vélo rouge et piqué un sprint à travers le jardin. Arrivés sur l'asphalte, il a sauté en selle.

– Dépêche-toi, il a dit. Grimpe.

J'ai atterri pile au milieu du guidon, et, un instant plus tard, on filait le long de la route, Dale debout à pomper sur les pédales pendant que je me penchais en arrière en tenant mes jambes loin des rayons.

On n'a croisé qu'un camion en chemin.

– C'était papa, a haleté Dale.

J'ai hoché la tête, en essayant de ne pas sentir la chaleur de son haleine sur ma nuque.

– Au moins, il zigzaguait pas, j'ai dit pour le réconforter.

– Ça veut rien dire, il a lâché avec mépris. Il conduit souvent plus droit soûl que sobre.

Cinq minutes plus tard, on dépassait le panneau « Bienvenue à Port-Tupelo ». Des bourrasques secouaient les bras morts des arbres et parfumaient l'air de leur odeur.

— Évite Piggly Wiggly, j'ai dit à Dale. Faut pas qu'on nous voie.

Au lieu de virer à gauche comme je m'y attendais, Dale a brusquement rétropédalé. On a stoppé en dérapant sur l'asphalte et le vélo m'a crachée en avant. J'ai atterri sur mes pieds en courant.

— Si tu veux décider par où on passe, c'est toi qui pédales, il a dit, la figure cramoisie. Qu'est-ce que t'as mangé, du plomb ?

— J'ai mangé la cuisine de ta Mama, j'ai répliqué en trottinant vers lui. Monte.

J'ai pédalé le reste du chemin jusqu'au café.

— Chhhh, j'ai fait en soulevant le ruban jaune de la police.

C'était lugubre à l'intérieur. Les pièces étaient sombres et sinistres, en partie à cause des nuages toujours plus épais et en partie parce que les meubles étaient éparpillés.

— Par là, j'ai chuchoté en me dirigeant vers les quartiers du Colonel.

La porte a pivoté sur ses gonds.

— Le placard est de ce côté, j'ai dit en prenant une chaise et en la traînant à travers le parquet en pin.

Dale a remarqué les bottes militaires au garde-à-vous à côté du placard à chaussures.

— Il est soigneux, le Colonel, ça c'est sûr, il a constaté.

— Le Colonel dit que garder son espace intérieur en ordre permet d'exercer son chaos créatif dans sa vie extérieure. Sans ce sanctuaire, il dit qu'il serait tenté de tirer sur Miss Lana et de la laisser pour morte. Tiens ma chaise, Dale.

— Chaos créatif…, a murmuré Dale, ça explique beaucoup de choses.

J'ai grimpé sur la chaise et tâtonné le long de l'étagère du Colonel, écartant une boîte à chaussures, un vieux jeu de dames et un cake aux fruits restant des excès culinaires de Miss Lana, trois Noëls plus tôt. Je me suis hissée sur la pointe des pieds.

— Ah-ah ! j'ai fait en sortant un paquet d'un coin tout au fond.

J'ai frotté mon bras contre l'emballage brun foncé. Le mot écrit en grandes lettres manuscrites à travers l'enveloppe m'a coupé le souffle.

— « Slate » ! s'est exclamé Dale. Comment ça se fait que le Colonel ait un dossier avec Slate inscrit dessus ?

— Je ne sais pas.

J'ai sauté de la chaise et jeté un œil à l'intérieur. Des coupures de journaux ? J'ai parcouru les titres : « Slate déclaré coupable » ; « Slate condamné à perpétuité ». Dessous, il y avait un carnet de notes — toutes de l'écriture illisible du Colonel. Ma bouche s'est desséchée. Pourquoi le Colonel avait-il des notes sur Slate ?

J'ai glissé l'enveloppe sous mon t-shirt dont j'ai rentré le bas dans ma ceinture.

– On regardera tout ça chez toi, j'ai dit à Dale en gigotant pour caler le paquet qui me faisait un torse d'arbitre. Allons-y.

Alors qu'on galopait à travers le salon, quelque chose a cliqueté sous la véranda. Quelqu'un a juré tout bas.

– Cachons-nous !

On a obliqué vers la suite de Miss Lana et on s'est glissés sous son lit.

J'ai retenu ma respiration alors que des bottes poussiéreuses martelaient le plancher à côté de nous et que la porte de l'armoire s'ouvrait en grinçant.

– Des perruques ? Ça doit être la chambre de la dingo, a marmonné un homme.

Il est revenu sur ses pas et s'est dirigé vers les quartiers du Colonel. J'ai fermé les yeux alors qu'il mettait à sac le placard, jurait et retournait finalement vers l'entrée.

– Ça devait être Slate, a chuchoté Dale en se tortillant pour sortir.

– Attends, j'ai dit en le retenant par le bras. C'était pas une seconde voix, juste là ?

Je suis restée allongée en silence, essayant de distinguer les bruits humains du sifflement du vent.

– Allons-y, j'ai dit finalement.

On s'est glissés à pas de loup vers le salon.

J'ai senti l'ombre sur le seuil de la porte plus que je ne l'ai vue. Je me suis retournée d'un coup pour trouver l'adjointe Marla debout derrière nous, pistolet au poing.

— Tiens, tiens, qui avons-nous là ? elle a demandé.

— Ne tirez pas, a glapi Dale en levant les mains.

Le pistolet n'a pas bougé.

— Adjointe Marla, j'ai dit en croisant les bras sur ma poitrine (et le paquet du Colonel). Qu'est-ce que vous faites ici ?

— J'ai une meilleure question. Qu'est-ce que *vous* faites ici ?

— Ne dis rien, Dale, j'ai prévenu.

Il se tenait debout, immobile et silencieux. Dale déteste les armes à feu.

— On n'est pas une menace pour vous, j'ai dit à l'adjointe Marla. Y a pas de raison de sortir un pistolet.

Elle a lentement cligné des yeux.

— Non, elle a admis en abaissant l'arme. Bien sûr que non. C'est juste… que je ne savais pas sur qui j'allais tomber, elle a continué en tournant les yeux vers les quartiers du Colonel.

— C'est seulement nous, a soufflé Dale.

— Des presque sixième, j'ai ajouté en fixant le canon. Des gosses désarmés.

Elle a rengainé le revolver.

— Eh bien, que faites-vous tous les deux sur ma scène de crime ?

Elle avait forcément vu Slate, non ?

J'ai fait semblant de sourire.

— On cherchait des indices, comme des détectives dignes de ce nom. Si on en avait trouvé — ce qui n'est pas le cas —, on vous les aurait transmis. Vous auriez pu en tirer une promotion.

Elle a fait un pas en avant, le regard dur. Dale et moi avons reculé jusque dans les quartiers du Colonel.

— Starr avait peut-être manqué quelque chose, j'ai continué. En plus, ma famille me manque. J'avais le mal de la maison.

Elle a dardé ses yeux luisants vers la couchette et les bottes du Colonel.

— Je vous avais dit de rester là où je pouvais vous voir, elle a répliqué.

Pour qui elle se prenait de nous parler sur ce ton de maîtresse d'école ?

Elle se tenait toujours entre moi et la porte, la main à portée de son pistolet. J'ai levé la tête pour rencontrer son regard. C'était comme regarder dans les yeux d'un serpent. Le Colonel m'avait mise en garde contre Starr. Pourtant ce n'était peut-être pas de lui qu'il fallait se méfier.

Mais plutôt de son adjointe.

— D'accord, on vous a désobéi, j'ai dit, mais c'est un raisonnement en noir et blanc. Miss Lana dit que rien n'est vraiment jamais noir et blanc, sauf les zèbres et les vieux films. Même les rêves ne sont pas en noir et blanc, sauf ceux des chiens.

C'était une ruse primaire mais, comme beaucoup de ruses primaires, elle a marché. J'avais besoin de réfléchir et Dale, au cours des onze années que je l'avais connu, n'avait jamais laissé passer une chance de parler d'un chien. Il ne m'a pas déçue.

– Ma Reine Elizabeth II rêve beaucoup, adjointe Marla, il a dit en se détendant. Vous avez déjà regardé un chien en train de rêver ?

– Je n'ai pas de chien, elle a répondu en gardant les yeux sur moi.

– Parfois, Elizabeth II sautille dans son sommeil, il a continué. Ses pattes tremblotent. Ou bien elle sourit et remue la tête comme si elle était dans un champ plein de papillons. Une fois, je crois qu'elle a attrapé un lapin de rêve. Je sais qu'elle avait attrapé *quelque chose* parce qu'elle secouait la tête d'avant en arrière – mais ça aurait aussi pu être un écureuil. Je préfère ne pas imaginer que c'était un rat. En tout cas, Mo, je ne sais pas d'où tu sors que Liz rêve en noir et blanc. Je veux dire, elle ne t'en a pas parlé, que je sache... N'est-ce pas ?

– Non, j'ai répondu. Je crois que c'est Miss Lana qui m'a dit ça. Elle écoute les programmes de la NPR et, si je ne me trompe, la NPR parle de noir et blanc pour les rêves des chiens.

– Eh bien Miss Lana a tort, a coupé l'adjointe Marla.

– Vous pensez que les chiens rêvent en couleur ? a demandé Dale, son visage s'éclairant. Moi aussi.

– Je veux dire que l'idée de Miss Lana sur la pensée en noir et blanc, c'est des sornettes pseudo-psychologiques, elle a rétorqué sèchement. Il y a des absolus dans la vie, et plus tôt tu l'apprendras, mieux ce sera. Toi, par exemple, elle a dit en me fusillant du regard. Je t'ai attrapée du mauvais côté de la loi. Ça veut dire que tu as *absolument* un problème.

– Du mauvais côté de la loi ? j'ai demandé. Je n'ai fait que rentrer à la maison.

– Tu as aussi menti à un officier de police, échappé à une protection rapprochée et souillé une scène de crime. Plus attiré des ennuis à Dale en l'entraînant avec toi.

– Il est juste venu pour me tenir compagnie, j'ai dit. Par politesse.

– Il t'a amenée en pédalant jusqu'ici. Ça fait de lui un complice.

Son regard a détaillé Dale.

– Ton papa m'a dit qu'il t'avait vu sur la route. Il a de la chance que je ne l'aie pas arrêté pour conduite en état d'ivresse.

Dale a tressailli, la peur dans les yeux.

– Papa est à la maison ? Où est Mama ? Faut que je rentre.

– Qu'est-ce qui ne va pas ? a raillé l'adjointe Marla. Tu as peur de la tempête ?

Non, j'ai pensé. *On a peur de vous.*

J'ai fait un pas vers la porte.

— Bon, c'était un plaisir mais on a encore quelques petites choses à faire...

— Je ne crois pas, elle a dit en m'attrapant par le bras.

Ses doigts m'ont pincée aussi méchamment qu'une chaîne de vélo rouillée. Elle m'a secouée violemment.

— Vous n'êtes pas censée brutaliser un enfant, je lui ai dit en serrant les coudes de côté pour empêcher mon enveloppe de glisser. Vous pouvez causer un traumatisme crânien.

Elle a approché sa figure de la mienne.

— Qui t'a appelée, tout à l'heure, chez Dale ? Qu'est-ce que tu fais ici ?

— Personne ne m'a appelée. Et on fait rien du tout, j'ai répondu.

Elle m'a secouée à nouveau, projetant ma tête en arrière.

— Hé ! a crié Dale en avançant vers elle. Laissez-la tranquille !

La colère a enflammé le visage de l'adjointe Marla comme un incendie dans un champ de blé.

— J'en ai assez de ta bouche de petit bouseux, elle a dit en poussant Dale de sa main libre.

— Calme-toi, Dale, j'ai dit. Elle ne va pas me faire de mal. Elle est pas bête au point de se coller une maltraitance d'enfant sur le dos.

L'assurance de l'adjointe Marla a vacillé et sa poigne s'est un peu desserrée.

Pourquoi était-elle si furieuse ? Certainement pas parce que deux gamins lui avaient faussé compagnie…

J'ai encore essayé de dégager mon bras.

— Comment vous saviez où nous trouver ?

— Je te l'ai dit. Le père de Dale.

— Bobard, j'ai dit. On ne lui a pas dit où on allait.

— C'est vrai, a dit Dale. Et j'ai gardé le vélo sur le bitume, alors vous n'avez pas pu nous pister.

Ses yeux se sont rétrécis.

— Ce que je sais n'est pas vos oignons.

L'adjointe Marla n'avait pas pu nous *suivre* jusqu'ici. Elle était venue d'elle-même. Ou bien elle avait surpris quelques mots du Colonel au téléphone, ou bien Slate l'avait renseignée. Elle était furieuse parce qu'on était là les premiers. Elle m'a secouée à nouveau et le paquet du Colonel a glissé de dessous mon t-shirt.

— Qu'est-ce que c'est ? elle a marmonné en tendant le bras pour l'attraper.

— Dale ! j'ai crié. En position ! Prêt ? Hop-hop-hop !

Il a piqué un sprint vers la porte. Je me suis reculée de trois pas et il s'est parfaitement retourné en crochet. Le paquet du Colonel est monté dans les airs, au-dessus des mains de l'adjointe Marla, vers les bras tendus de Dale. Elle a virevolté vers lui et j'en ai profité pour attraper une botte à pointe en fer du Colonel et la balancer de toutes mes forces. L'adjointe a porté un bras à son visage et esquivé en se tordant sur le parquet ciré. Ses pieds sont partis en avant et sa tête a heurté le coin de la couchette. Elle s'est écrasée par terre comme un sac d'oignons pourris.

– Mince, a fait Dale en stoppant sa glissade. Tu l'as tuée.

– Mais non, j'ai dit, en espérant que ce soit vrai. Elle a gémi.

– Tu vois ? Elle est pas morte. Aide-moi à la ligoter.

– Non, il a dit en reculant. Tu peux pas frapper les adjoints et les ligoter. Même ma famille sait ça.

– Je l'ai pas frappée, je l'ai ratée, j'ai dit. Elle est tombée toute seule. Aide-moi. Miss Lana en a besoin.

J'ai foncé vers le placard et décroché les deux cravates du Colonel.

– Tiens, j'ai dit en lançant à Dale celle aux flamants roses.

– Le Colonel porte *ça* ? il s'est exclamé en la tenant à bout de bras.

J'ai attrapé la banderole lumineuse représentant le Rainbow Row de Charleston et l'ai nouée sur la bouche de l'adjointe Marla.

– Miss Lana, avant-dernier Noël, j'ai précisé. Dépêche-toi.

On a retenu ses mains en arrière avec les flamants roses et noué ses lacets ensemble. Enfin, je me suis emparée du paquet et de la baïonnette du Colonel. Alors que je dévalais l'escalier de la véranda, Dale avait déjà passé le coin de la maison.

– Dale ! j'ai crié. T'as oublié ton vélo !

Il n'a pas regardé en arrière.

Une bourrasque a secoué les érables et les pins alors que je laissais tomber le paquet à côté de la voiture de l'adjointe Marla. C'est plus dur qu'on le croit de crever un pneu, mais quand je suis arrivée au quatrième, j'avais trouvé ma technique : placer la pointe de la baïonnette comme ça et *blam*, donner un coup sur la crosse avec une pierre décorative du jardin. Alors que la voiture tombait sur ses jantes, la voix de Joe Starr a grésillé dans le récepteur radio :

– Marla ! Réponds.

Je l'ai fixé un moment. Si personne ne répondait, il viendrait chez Miss Rose, c'est sûr. J'ai saisi le combiné.

– Hé ! Joe, j'ai dit en prenant une voix basse.

– Marla, tout va bien là-bas ? Pourquoi n'es-tu pas à côté du téléphone ?

J'ai essayé de descendre ma voix d'un cran.

– Je sécurise le véhicule.

Dans un sens, c'était vrai.

Le silence de Starr a crépité.

– Je reste chez Priscilla pendant la tempête. Tu ne bouges pas et gardes les enfants en sécurité. Terminé.

J'espère bien qu'elle ne bougera pas ! je me suis dit. Puis j'ai cherché le paquet du Colonel.

Non !

Le vent l'avait ouvert et les articles s'envolaient vers la crique. J'ai bondi, fourrant tout ce que je pouvais attraper dans le paquet puis j'ai regardé le ciel.

– Hé ! Dale ! j'ai crié en courant vers le vélo. Attends-moi !

24 – Juste sous notre nez

Dale appuyait sur les pédales comme s'il voulait battre la tempête de vitesse, avec moi en équilibre sur son guidon et les grandes mains furieuses du vent qui nous poussaient le long du bitume. Puis la roue avant s'est mise à grincer. Il y avait quelque chose dans ce bruit, ce gémissement métallique...

– Stop ! j'ai crié. Je sais où est Miss Lana !

Il a pilé sur les freins, me catapultant de mon perchoir.

– Où ça ? il a fait, hors d'haleine.

– Juste sous notre nez.

Dale a regardé vers le bas, puis à travers un océan de maïs en train de tanguer, ses feuilles vertes virant à l'argent sous le ciel bouillonnant.

– Je ne la vois pas, il a dit. Remonte.

– L'ancienne maison Blalock, j'ai dit en indiquant un sentier sablonneux qui sinuait à travers le champ. C'est la cachette parfaite. Y a plus personne là-bas depuis que Miss Blalock est morte cet hiver – personne sauf nous à la chasse aux narcisses et peut-être Red le Rustre pour aller vérifier cet alambic qu'on fait tous semblant qu'il n'a pas. Miss Lana est en bas de ce chemin, je le sais.

– Starr a déjà fouillé les maisons vides. Monte.

– *L'adjointe Marla* a déjà fouillé, j'ai précisé.

Il s'est appuyé contre le vent qui balayait ses cheveux.

– Papa est peut-être à la maison, Mo. Faut qu'je rentre.

– Juste quelques minutes, j'ai supplié en me postant devant le vélo. Rappelle-toi comment la roue du vieux réservoir à eau de Miss Blalock grince quand le vent souffle ? C'est le bruit que j'ai entendu quand Slate a appelé. J'ai un plan infaillible. Ça nous prendra cinq minutes, pas plus. Cinq minutes pour sauver la vie de Miss Lana.

Il s'est mordu la lèvre.

– Je ne sais pas. J'ai entendu dire que la maison Blalock était hantée. Lavender dit que la télé se met en route et change de chaîne toute seule.

J'ai eu un petit gloussement.

– Allons, fais pas le bébé. Cinq minutes. Tu seras un héros.

Il a soupiré.

– Cinq minutes, Mo, mais c'est tout.

Dix minutes plus tard, on se débarrassait du vélo en le cachant derrière un hortensia.

– Fais-toi petit, j'ai chuchoté en jetant un coup d'œil au réservoir d'eau en bois d'un côté du terrain. Slate est venu ici, aussi sûr que mon nom est Mo LoBeau, j'ai ajouté en indiquant d'un hochement de tête les marques de pneus dans l'allée.

– N'importe qui aurait pu laisser ces traces, il a dit. C'est quoi ton plan infaillible ?

– J'y viens, j'ai dit en me concentrant pour en trouver un. D'abord, je fais mon repérage. Ensuite, je t'expliquerai ma stratégie, qui est géniale, crois-moi.

Ses épaules se sont affaissées.

– T'as pas de plan, c'est ça ? Je le savais, il a gémi, les larmes lui montant aux yeux. Je savais bien qu'il fallait pas que j'aille dans une ferme hantée avec toi pendant un ouragan.

– Chhh. J'étudie le lieu, j'ai dit tout en scrutant des yeux la jolie maison blanche et m'attardant sur la porte d'entrée cadenassée. Elle est bien verrouillée, comme on le dit.

– Qu'est-ce que c'est que ça ? a chuchoté Dale. Tu as entendu une télé ?

– Non, je n'ai pas entendu de télé.

Pourtant, un malaise avait posé ses mains froides contre ma nuque. La gorge nouée, j'ai tourné mon attention vers le vieux réservoir d'eau ventru au sommet de ses pieds arqués. Son éolienne avait perdu une pale mais elle tournait pour résister à chaque bourrasque de la tempête imminente.

CriiIIiiik. CriiiiIIIIk.

– Pas de doute, c'est ça que j'ai entendu au téléphone, j'ai dit. Seulement, ce n'est pas possible de l'entendre de l'intérieur de la maison. Slate n'était pas dedans quand il a appelé.

– Merci, Seigneur, a murmuré Dale.

– Il devait être plus près du réservoir.

J'ai jeté un coup d'œil au cabanon de la pompe. Son épais rideau de *kudzu* était déchiré. Quelqu'un avait ouvert cette porte.

– Elle est dans le cabanon, j'ai dit, mon cœur battant la chamade. Viens. On est en opération sauvetage. Si tu vois Slate, envoie-moi un signal.

– Je fais un hululement, il a suggéré.

– Parfait, je lui ai dit. Si tu vois Slate, hulule comme une chouette. Maintenant on se déploie.

Dale a secoué la tête.

– On n'est que deux, il a dit. Il faut être trois pour se déployer, et c'est le minimum.

– OK, j'ai dit. Oublie le déploiement. On va encercler le cabanon : toi par-derrière, moi par la porte.

– Non, il a dit fermement. C'est trop plein de serpents par là-bas. Je prends la porte. Les serpents sont déjà vicieux par beau temps, alors on sait pas de quoi ils sont capables avec l'ouragan qui vient.

J'ai inspiré à fond. Le Colonel dit que, dans certains cas, tout ce que peut faire un chef, c'est regarder où va tout le monde et s'efforcer de prendre la tête. Ça avait l'air d'être une de ces fois-là.

– D'acc, j'ai dit. On va tous les deux par la porte. Suis-moi.

Je me suis accroupie pour filer à travers le terrain vers le cabanon, Dale sur mes talons.

– Miss Lana ? j'ai chuchoté. Tu es là ?

Criiii…IIiiiik.

J'ai saisi le loquet rouillé de la porte.

– Miss Lana ?

Un rayon de lumière a transpercé le cœur sombre de la cahute. À l'intérieur, j'arrivais juste à distinguer un carton de vieux pots à confiture, un râteau rouillé et un seau en bois à moitié pourri.

– Elle est pas là, j'ai dit, mon cœur s'écroulant.

– Non, a confirmé Dale en donnant un coup de pied dans une vieille bouteille de Nehi[1]. Je suis désolé, Mo. Rentrons.

Derrière nous, une branche d'arbre a cogné contre la maison.

– Qu'est-ce que…

Dale a jeté un coup d'œil vers l'habitation et poussé un hurlement qui m'a traversée comme une lame de rasoir alors qu'il plongeait à mes pieds.

---

1. Soda originaire de Géorgie, absorbé dans les années 1950 par la marque Dr Pepper. (N.d.T.)

– Quoi ? j'ai crié en me jetant à terre à côté de lui. Tu as vu Slate ? Je croyais que tu allais faire la chouette.

– C'est le fantôme de Miss Blalock ! il a crié, le visage cireux.

– Où ça ?

– Dans la maison, il a dit, les yeux vitreux de frayeur. Elle est passée devant la fenêtre.

J'ai essayé de voir au-delà des plantes agitées par le vent.

– C'est pas un fantôme, je lui ai dit. Il y a quelqu'un là-dedans.

J'ai couru à travers le terrain jusqu'à la véranda de la cuisine. La lourde porte a raclé le linoléum usé. Les rumeurs avaient raison. La cuisine se trouvait exactement dans l'état où Miss Blalock l'avait laissée le matin de sa mort : table mise pour une personne, jonquille desséchée dans un pot à confiture, poêle en fonte sur la cuisinière.

– Miss Lana ? j'ai chuchoté.

Le vent grondait et le toit tremblait.

– Essayons le salon, j'ai chuchoté en détournant les yeux de la table.

Elle avait l'air trop seule, trop abandonnée, trop près d'être vivante.

Dale a saisi mon bras.

– C'est quoi cette odeur ? il a demandé en reniflant l'air.

J'ai jeté un regard à la ronde. Le comptoir était couvert de boîtes de pizza.

– Pizza Hut livre ici ? il a dit d'une voix étranglée.

Il a soulevé le couvercle d'une des boîtes et a reniflé.

– Vide, mais récente, il a estimé.

– Au moins, Miss Lana n'a pas faim.

Je me suis glissée dans le salon. La pièce était coquette et ordonnée. Un rideau déchiré voletait à côté d'une fenêtre fêlée.

– Voilà ton fantôme, j'ai dit.

Puis, quand mes yeux se sont habitués à l'obscurité, j'ai vu autre chose : du sang. Du sang par terre, du sang sur une lampe fracassée, du sang sur le papier peint décoloré…

– Miss Lana ! j'ai hurlé. Où es-tu ?

On a couru à travers la maison grinçante, ouvrant grand les portes, appelant son nom.

– Elle est pas là, a dit Dale, pantelant, le visage aussi pâle que son fantôme oublié.

– Suivons le sang, j'ai dit en retournant au salon. Là, regarde…

J'ai placé ma main dans l'empreinte de celle de Miss Lana. Puis nous avons suivi les traces de sang à travers la pièce, et le long du couloir vers une porte. Quand j'ai poussé la porte, le vent l'a attrapée, me projetant sous la véranda.

Des marques de pieds traînés balafraient l'allée terreuse et disparaissaient dans une confusion de traces de pneus.

– Elle s'est défendue, a dit Dale d'une voix blanche. C'est bon signe.

Les pacaniers battaient le ciel qui s'assombrissait et un vieux sac d'engrais a fait des roues à travers le jardin abandonné. Les premières gouttes ont éclaté dans la poussière, rondes comme des piécettes.

– Il l'a emmenée ailleurs, j'ai dit. Il faut aller chercher de l'aide.

– Viens. Mama est la plus proche, a dit Dale en courant vers son vélo. Elle saura quoi faire.

25 – Une fête d'ouragan

— **M**ama ! a lancé Dale, hors d'haleine, alors qu'on déboulait dans la maison. Aide-nous !

Miss Rose était dans le salon, téléphone à l'oreille.

— Où étiez-vous passés, tous les deux ? elle a crié en abaissant le combiné. Où est l'adjointe Marla ?

— Miss Lana est blessée, j'ai dit, la gorge nouée.

— Lana ? Où est-elle ?

— Du sang... Chez Miss Blalock...

— Qui est au téléphone ? C'est Lavender ? a demandé Dale en tendant la main. Laisse-moi lui parler.

Lavender ? J'ai serré le paquet sous mon t-shirt et fondu en larmes.

Miss Rose a remonté le combiné à son oreille.

— Lavender ? Ils sont rentrés et... Allô ? Allô ? La ligne a coupé.

Elle m'a poussée doucement vers le canapé et Dale s'est assis à côté de moi. Puis elle s'est rapproché une chaise.

– Raconte-moi ce qui est arrivé. Inspire profondément et commence au début.

J'ai fait le récit de l'histoire, étape par étape. Elle a écouté, ses yeux verts scrutant nos visages pendant que nos paroles se bousculaient.

– Où est Slate maintenant ?

– Je ne sais pas, j'ai répondu. Le Colonel a dit qu'il l'attirerait loin de Miss Lana et la sauverait. Et juste après, on tombe sur Slate dans notre maison. C'est tout ce que je sais.

Miss Rose s'est adossée à sa chaise et a regardé longuement par la fenêtre. Le vent chargeait à travers le champ de tabac derrière un rideau de pluie déchiqueté et secouait la maison à coups de boutoir. Au loin, j'ai entendu un grand fracas – un arbre heurtant le sol. Les lampes ont vacillé. Une chaise pliante a roulé à travers le jardin, jusqu'à une clôture en barbelés.

– Si le Colonel a dit qu'il sauverait Lana, c'est sans doute exactement ce qu'il a fait, a dit Miss Rose.

– Mais tu n'as pas vu le sang. Par terre, sur le mur... On doit faire quelque chose.

Elle a posé sa main sur la mienne.

– Nous ne savons pas à qui est ce sang.

– Si, je le sais. J'ai vu l'empreinte de la main de Miss Lana.

– Si c'était bien son empreinte, nous savons qu'elle avait du sang sur la main. Et c'est tout. Nous ne savons pas à qui ce sang appartient ni comment il est arrivé là. Si nous devons faire des suppositions, restons positifs. Je parie sur le Colonel.

Elle a disparu dans le couloir et est revenue un instant plus tard avec sa carabine.

– Au cas où Slate veut nous faire une petite visite, préparons-lui un accueil.

– Et Joe Starr ? a demandé Dale.

Le regard de Miss Rose est devenu dur comme des émeraudes.

– Marla m'a dupée, elle a dit. Joe Starr a pu en faire autant. Nous supposerons qu'ils travaillent ensemble jusqu'à preuve du contraire, et j'espère qu'il ne passera pas à l'improviste.

– Aucun risque. Il reste chez Miss Retzyl, j'ai dit. Il a appelé sur la radio pendant que je crevais les pneus de l'adjointe Marla.

– *Tu as crevé ses pneus ?*

D'un coup, elle est passée en mode « Mère », comme le loup-garou se couvre de pelage pendant une pleine lune.

– Peut-être, j'ai dit en glissant le paquet du Colonel sur la table basse. Laisse-moi me souvenir...

Je l'ai dévisagée un instant.

– Juste par curiosité, quel serait ton sentiment si c'était vrai ?

Elle s'est rembrunie.

– Voyons… Marla a mangé à ma table et a conspiré contre nous, aidé à kidnapper mes amis et tenu un pistolet pointé sur toi et Dale. Si tu as crevé ses pneus, Mo, je crois que je pourrai comprendre.

– Les quatre roues sont sur les jantes, j'ai dit. Alors, quel est notre plan ?

Miss Rose a souri, arrondissant ses fossettes.

– Notre plan est de rester en sécurité et d'attendre la fin de la tempête. Ensuite, nous essayerons de trouver le Colonel. Veux-tu allumer les bougies, s'il te plaît, m'dame ? elle m'a demandé en me tendant une boîte d'allumettes alors que la lumière vacillait à nouveau. Dale, j'ai besoin d'un coup de main à la cuisine.

Cette décision ne me plaisait pas du tout, mais je savais qu'elle avait raison. J'ai allumé les bougies juste à temps. L'électricité a sauté alors que Miss Rose et Dale couvraient la table basse de délices : Oréos, croustillants au fromage, chips, bretzels. Dale avait un grand sourire.

– Normalement, on mange triste pendant un ouragan, mais Mama veut que tu te sentes chez toi. C'est une hôtesse-née.

– Merci, Miss Rose.

Les jours d'ouragan, quand la plupart des femmes remplissent leurs caddies de courses de pain et de lait, Miss Lana chargeait le nôtre de bonbons, de gâteaux et de chandelles. « Si je meurs dans la tempête, je serai emportée dans les bras d'un coma sucré à la lueur des bougies », elle disait toujours. Ses fêtes d'ouragan sont réputées dans tout le comté et jusqu'à Charleston.

Miss Rose a sorti la table à jouer du placard.

– Va chercher les cartes, Dale. J'ai besoin d'une petite fête.

Pendant les quelques heures qui ont suivi, l'ouragan Amy a battu la maison et hurlé à travers les moustiquaires. Une pluie couleur de lame de rasoir s'est abattue de biais, déchiquetant les feuilles, abattant les arbres.

Quiconque dit qu'il n'a pas peur d'un ouragan est soit un menteur, soit un idiot. C'est ce que dit le Colonel. Un ouragan vous tourbillonne dessus comme si vous n'étiez rien du tout et ravage votre monde comme s'il n'était rien du tout non plus. À l'intérieur, il n'y a plus de temps, plus de mouvement visible du soleil, plus de lumière douce ou diffuse. Tout ce qu'on peut faire, c'est respirer, et ignorer le reste du monde qui vole en éclats derrière sa porte.

Pour garder notre calme, on a joué aux cartes, mangé des cochonneries et ri à gorge déployée.

Après une série de mains perdantes, je me suis retrouvée à fixer quatre bons gros as dans mon jeu. Dale s'est mordu la lèvre, signe sûr qu'il bluffait.

– Tout ou rien, il a dit en poussant ses misérables trois jetons vers le pot.

– Bien, j'ai dit en avançant une double poignée de jetons vers le centre de la table.

Miss Rose nous regardait de derrière une montagne de jetons.

– Je crois que vous bluffez, tous les deux, elle a dit. Tout ou rien. Qu'est-ce que vous avez ?

Dale a retourné ses cartes.

– Une paire de quatre, il a dit, l'air content de lui.

J'ai gloussé de satisfaction.

– Carré d'as.

Alors que je tendais les bras vers le pot, la porte s'est ouverte en un violent claquement et la tempête a hurlé à l'intérieur de la pièce, soufflant les bougies et renversant les lampes. Elizabeth II a sauté sur ses pattes en aboyant et Miss Rose s'est levée d'un bond.

– Dale ! La porte !

Il s'est précipité vers la porte, le vent plaquant son t-shirt contre son maigre torse. Un homme s'est avancé dans l'obscurité, le visage caché par sa capuche.

– Dale ! j'ai crié. C'est Slate !

Miss Rose s'est jetée en avant, tirant Dale jusque derrière elle.

– Sortez ! elle a crié en jetant tout son poids contre la poitrine de l'homme.

Il a trébuché en arrière, puis a basculé vers l'avant et agrippé ses épaules.

– Ferme-la, il a bafouillé en la projetant à travers la pièce.

Alors qu'il entrait, sa capuche est tombée, découvrant son visage.

– Papa, a fait Dale en reculant. Qu'est-ce que tu fais ici ?

26 – Désolé

— Qu'est-ce que tu crois que je fais ici, minus ? a mâchonné Mr Macon en tirant sur la porte. Tu crois que je vais rester dehors par ce temps alors que j'ai une famille aimante à rejoindre à la maison ?

Il tanguait comme les pins à l'extérieur ; sa veste dégoulinait d'eau.

– Dale, j'ai dit en prenant une voix douce. Recule.

Du coin de l'œil, j'ai vu Miss Rose se relever, hésitante.

Dale, le souffle coupé, a fait un pas en arrière et sa mère l'a tiré derrière elle.

– Macon, elle a dit, tu es soûl. Et tu n'es pas censé être ici.

Il l'a regardée comme un chat regarde un oiseau, les yeux luisants.

– Et alors ? il a dit en la fixant méchamment. Pourquoi tu n'appelles pas ton petit ami l'inspecteur pour te plaindre ? Tu crois que je ne suis pas au courant, pour lui ? Vas-y, appelle-le.

Alors c'était ça…

– L'inspecteur Starr n'est pas le petit ami de Miss Rose, Mr Macon. C'est pour Miss Retzyl qu'il en pince. Bien sûr, j'ai ajouté, vous n'avez pas à me croire sur parole. Il sera de retour dans quelques minutes et vous pourrez lui demander vous-même.

– Ferme-la, Mo, il a grondé en gardant ses yeux sur Miss Rose. Tu parles trop. Si t'étais ma gosse, j'te corrigerais pour te mettre un peu de plomb dans la cervelle, pas vrai, Dale ? Vas-y, Rose, appelle à l'aide.

Comme elle n'a pas bougé, il a lancé, sarcastique :

– Qu'est-ce qu'y a ? Une panne de téléphone ? Elle nous a jeté un coup d'œil.

– Dale, Mo, allumez les bougies. Il fait sombre ici.

J'avais vu Mr Macon soûl des tas de fois, mais jamais comme ça. Pas si méchant, pas si provocant. Dehors, un arbre s'est écrasé au sol mais la tempête n'avait plus d'importance.

– Macon, elle a dit, si tu insistes pour rester, nous pouvons au moins nous asseoir et nous comporter…

– Hé, gamin, ta mama t'a dit qu'elle a fait des papiers contre moi ? il a lancé, la figure tordue par la rage. Qu'elle m'a jeté à la porte de ma propre maison ? Elle t'a dit ça ?

La main de Dale tremblait alors qu'il allumait une bougie.

– Elle m'a dit que t'habites plus ici.

– Eh bien, aujourd'hui c'est ton jour de chance, il a dit. J'emménage à nouveau chez moi. Toi, il a dit à Miss Rose, va me chercher quelque chose à manger.

Elle a hésité. Je savais qu'elle ne nous laisserait pas seuls avec lui.

– Tu m'as entendu ? il a insisté.

Le Colonel nourrit toujours Mr Macon quand il arrive soûl au café. Il dit que ça le remet d'aplomb. J'ai pris la parole :

– Je vais vous chercher quelque chose, Mr Macon. Qu'est-ce que vous diriez d'un sandwich beurre de cacahuète-confiture sur pain Merveille ?

– J'te cause, à toi ? il a crié en abattant son poing sur le bureau de Miss Rose, faisant trembler son vase bleu. Assieds-toi et ferme-la. Si tu l'ouvres, tu vas te retrouver ligotée comme ta grande-gueule de belle-mère.

Ma colère a sauté comme une flamme à une mèche.

– Qu'est-ce que vous savez sur Miss Lana ?

– Macon, a dit Miss Rose, si tu as fait du mal à Miss Lana, je te jure que je…

La main de Mr Macon est sortie par en dessous. Il a agrippé le devant de son chemisier et tiré brusquement Miss Rose vers le haut, sur la pointe des pieds.

– Tu quoi ? il a grondé. Tu me jetteras de ma propre maison ?

– Papa ! a crié Dale. Lâche-la !

Le temps est passé comme au ralenti. La main de Mr Macon s'est abattue en un arc parfait de méchanceté, frappant le visage de Miss Rose et projetant sa tête en arrière. Elle a titubé sur le côté et s'est effondrée.

– Dale ! j'ai crié. Karaté ! Position de combat !

J'ai bondi devant Miss Rose, mains en parade. Mr Macon a ri et balancé son bras vers moi comme une grosse patte. Je suis revenue en valsant à nouveau devant lui, prête à donner le coup de pied.

– Dale !

Mr Macon a grimacé un sourire.

– Dale va pas t'aider. C'est un lâche.

C'était la goutte d'eau en trop. J'ai frappé du pied en donnant toute ma puissance – inclinaison, torsion du corps et propulsion de mon poids dans le mouvement – envoyant un coup parfaitement circulaire sur le côté de son genou. J'ai senti l'articulation céder et vu son visage se tordre de douleur. Il a frappé du poing de côté alors que Miss Rose se remettait debout. J'ai foncé le coude en avant pour frapper Mr Macon au menton mais elle a arrêté mon bras.

– Stop, elle a dit dans un souffle. Il va te tuer. Macon, s'il te plaît. Ce n'est qu'une enfant. Allez, assieds-toi. Je m'excuse, je vais te chercher quelque chose à manger.

Son rire a sonné comme du verre brisé et il s'est approché de moi, le poing levé.

Le premier coup de feu a retenti et le vase bleu du bureau de Miss Rose a explosé.

Dale se tenait à côté du canapé, le visage livide, la carabine de Miss Rose pointée droit sur le cœur de son père. Son regard a croisé celui de Mr Macon.

– Sors de cette maison ou je jure que je te tue, il a dit.

Le rire de Mr Macon a titubé, faible et incertain, à travers le silence abasourdi.

– Tu vas pas me tirer dessus…

Il s'est avancé et Dale a reculé, se mordant la lèvre.

Il avait raison. Dale bluffait. Il ne pourrait jamais appuyer sur la gâchette.

– Et que si, il va vous tirer dessus, j'ai dit pourtant. Et je jurerai que c'était en légitime défense.

– Tais-toi, Mo, a dit Miss Rose d'une voix affolée. Dale…

Mr Macon s'est rapproché encore. Dale a reculé, s'arrêtant à la porte du couloir.

Un pas de plus et Mr Macon aurait la carabine. Et alors quoi ? J'ai cherché une arme des yeux. Rien. J'ai vu le visage terrifié de Dale.

– Appuie sur la gâchette, j'ai dit.

Mr Macon a eu un gloussement.

– T'as pas les tripes pour ça, gamin.

— Peut-être pas, le Colonel a dit en apparaissant sur le seuil du couloir. Mais tu ferais bien de croire que moi, je les ai.

Il a passé le bras devant la poitrine de Dale et pris la carabine.

— Bien joué, fiston, il a dit. Je prends la relève.

Il a pointé la carabine sur Mr Macon.

— À genoux, et mets tes mains derrière la tête, traître. Soldat ?

— Oui, chef ? j'ai dit, ma voix pleine de larmes.

— Trouve-moi quelque chose avec quoi attacher ce lâche.

Il a parcouru la pièce des yeux.

— Où est Lana ?

— Elle n'est pas avec toi ?

La peur a traversé son visage comme un éclair.

— Pas encore, il a dit. Mais elle va l'être.

Il a fusillé Mr Macon du regard.

— J'ai dit à genoux. Soldat ? Tu vas bien ?

J'ai cligné pour retenir mes larmes.

— Oui, chef. Tu as manqué de me voir au combat, j'ai ajouté en redressant mes épaules. Corps-à-corps avec un assaillant deux fois plus grand que moi.

Une ombre de sourire a flotté sur son visage mal rasé.

— J'attends ton rapport avec impatience, il a dit. Pour l'instant, nous avons un prisonnier à gérer.

Mr Macon a aboyé un rire.

– Prisonnier ? De quoi tu parles ? Pose cette carabine.

Il s'est passé la langue sur les lèvres avant de se tourner vers Miss Rose.

– Je suis désolé si je t'ai fait mal, Rose. Tu me mets tellement en colère que j'peux pas m'en empêcher.

– Dale, tu peux apporter de la glace à ta mère ? a demandé le Colonel. Et sécurise la porte de derrière, s'il te plaît. Je crains d'avoir amoché la serrure en entrant. Macon, j'ai dit à genoux.

Mr Macon s'est laissé tomber par terre, les mains en l'air.

– Purée, il a marmonné. Ta gamine rue comme une mule.

Il a lancé à Miss Rose un sourire minable.

– J'ai *dit* que j'étais *désolé*.

– Je suis d'accord, a dit le Colonel en prenant la rallonge que j'avais retirée d'une prise. Quoique le mot exact serait plutôt « une désolation ». Assieds-toi et attache tes pieds. Soldat, va voir si tu peux trouver un autre cordon électrique.

Alors que le Colonel nouait les poings de Mr Macon, Dale est revenu en tenant à deux mains un torchon rempli de glace.

– Macon, a dit le Colonel. Où est Lana ?

– Comment je saurais ?

– Alors où est Slate ? Où est ton associé ?

Miss Rose était estomaquée.

– Son associé ?

– On est pas associés, a dit Macon en se tordant comme un serpent sur un bâton. Slate m'a engagé pour livrer des pizzas à la maison Blalock. C'est tout. J'savais pas que vous et Lana aviez des ennuis. Je le jure.

– Il ment, j'ai dit, et le Colonel a acquiescé.

Mr Macon a laissé tomber son expression désemparée, retrouvant à la place son masque dur habituel.

– Très bien, il a grondé. Dénoncez-moi. Livrer des pizzas, c'est pas un crime.

Le Colonel s'est assis dans la chaise à haut dossier de Miss Rose et s'est penché tout près de lui.

– S'il arrive quoi que ce soit à Lana, c'est un meurtre caractérisé – pour Slate et pour toi.

– Macon, a dit Miss Rose. Pour l'amour de Dieu, si tu sais quelque chose…

– Essayez chez Jesse Tatum, il a dit. Slate a parlé d'aller là-bas.

– Bien sûr, j'ai dit en regardant Dale appliquer la glace sur l'œil de sa mère d'un geste sûr, comme s'il l'avait fait des centaines de fois. Un criminel retourne toujours sur les lieux du crime. J'aurais dû y penser.

– Ferme-la, Mo, a lancé Macon. T'as trop de bouche. Pas étonnant que ta mère t'ait jetée.

Dale s'est pétrifié et j'ai vu les mains du Colonel se tendre sur la carabine.

Finalement, quelqu'un l'avait dit tout haut. Et tout haut, les mots paraissaient étonnamment faibles.

J'ai regardé Mr Macon dans les yeux.

– Peut-être qu'elle m'a jetée et peut-être que non, j'ai dit. Mais si elle l'a fait, elle l'a fait qu'une fois. Tandis que vous, vous jetez les vôtres chaque jour que Dieu fait, et c'est sûr que c'est pas parce qu'il y a quelque chose qui cloche chez *eux*.

J'ai dévisagé le Colonel.

– Quel est notre plan, chef ?

Il restait assis, immobile et silencieux comme un lapin, ses longues mains fines drapées délicatement sur la carabine. Enfin, il a dit :

– Nous allons demander à emprunter la Pinto de Rose. Si elle accepte, j'attendrai la fin de la tempête. Ensuite, j'irai trouver Lana.

Tout seul ? Pas question, j'ai pensé.

Mais j'ai hoché la tête, attendant mon heure.

27 – Fin de tempête

L e Colonel a posé un pistolet sur le seuil, à côté de la tronçonneuse de Mr Macon.

– Mon pistolet va pas vous aider, a raillé Mr Macon. Il est pas chargé.

– Slate ne le sait pas, a répondu le Colonel en vérifiant le niveau d'essence dans la tronçonneuse.

Dale s'est installé sur le canapé avec un nouveau paquet de chips.

– L'adjointe Marla nous a roulés comme des bleus, il a dit, les yeux sur son père. On dirait bien qu'elle était de mèche avec Slate tout du long. Peut-être qu'on devrait changer notre nom en Détective Débiles, il a ajouté en laissant tomber une chips dans la gueule de Liz.

– Elle m'a roulée, *moi*. Toi, tu l'avais démasquée. Mais pourquoi l'adjointe Marla ferait équipe avec un loser comme Slate ?

– Deux possibilités, il a dit : l'argent ou l'amour.

– Ou, dans son cas, probablement les deux, a dit le Colonel en posant son sac à dos à côté de la porte. Soldat, tu as pu trouver ce paquet dans mon placard ?

J'ai pointé le doigt vers la table basse.

– Je m'excuse, chef, mais quelques coupures se sont échappées, j'ai dit. C'est dur de crever des pneus et de faire de la paperasse en même temps.

– C'est on ne peut plus vrai, ma chérie, il a dit.

Il a pris le paquet et disparu dans la cuisine.

Je l'ai trouvé peu après à la table de la cuisine. La flamme de son reste de bougie vacillait et il tenait son front appuyé dans ses paumes. Il a levé les yeux ; la lumière de la bougie jouait sur les angles aigus de son visage.

– Soldat, il a dit en rassemblant les coupures.

Je me suis glissée sur la chaise à côté de lui et ai attendu.

– Je serai franc avec toi. Quand Lana m'a parlé de ces papiers, j'espérais qu'elle dramatisait. Mais après les avoir regardés, je comprends que je suis d'une façon ou d'une autre impliqué dans le hold-up de Slate, il a dit, la voix chargée de chagrin. Je ne vois pas comment je pourrais avoir ces notes autrement. Apparemment, Slate avait au moins un complice. J'espère que je ne suis pas cet homme. Mais nous devons nous y préparer car je pourrais bien l'être.

J'ai hoché la tête.

– Tu pourrais t'enfuir, chef, je lui ai dit.

Son sourire a découvert une ligne droite et blanche à la lueur de la bougie.

– M'enfuir n'est pas dans ma nature, pas plus que dans la tienne. J'accepterai la responsabilité de mon passé, quel qu'il soit, il a dit tout en remettant les coupures dans l'enveloppe. Nous ne pouvons pas changer le passé, soldat. Nous ne pouvons qu'être reconnaissants pour la vie de chaque nouveau jour qui nous est donné, et avancer.

– Oui, chef, j'ai dit en m'appuyant contre lui. Je suis fière de toi, chef.

Il a souri.

– Moi aussi, je suis fier de toi. Tu as gardé ta tête et ton cœur d'aplomb à travers tout ça. Tu as montré un courage hors du commun. Nous avons juste besoin d'un peu plus de courage pour faire face à cette dernière épreuve.

Pendant que la tempête se calmait, Dale et Liz faisaient un somme, Mr Macon boudait et Miss Rose priait. Le Colonel faisait les cent pas comme un léopard. Moi, j'ai pris mon Tome 6 et un stylo.

Chère Mère d'Amont, j'ai écrit. Mais j'ai barré les mots.

Chère Miss Lana,
Tiens bon. On va te trouver.
Mo.

À un moment, le Colonel s'est arrêté à côté d'une fenêtre. Il a eu une grimace de douleur et

s'est penché en avant, son front heurtant légèrement la vitre.

— Colonel ? j'ai dit en me précipitant vers lui.
Ça ne va pas ?

Il a passé son bras noueux autour de moi.

— Si, ça va. Mais tout ceci me paraît tellement
familier. La tempête, le danger…

La pluie fouettait les carreaux. Il a regardé à
travers la pièce vers Miss Rose, qui s'était installée
sur le canapé, les yeux fermés.

— Elle prie, j'ai chuchoté.

Il a attendu qu'elle ouvre les yeux.

— Rose, il a dit, je crois que la tempête se calme.

— Bien sûr, elle a répondu en sortant les clés de
la Pinto de sa poche.

— Je prendrai la route de derrière pour chez
Jesse plutôt que celle du bourg. J'aurai moins de
risque d'avoir des arbres abattus dans la forêt qu'à
découvert. Je n'aurai à traverser qu'un seul petit
champ moissonné, où les vents seront plus forts.
J'arriverai au Pin de l'accident et continuerai le
long du chemin qui borde la rivière.

Il a regardé Mr Macon.

— S'il vous cause des ennuis, n'hésitez pas à
l'abattre, il a ajouté, un sourire dans les yeux.

— Merci, Colonel, elle a dit, c'est très généreux
de votre part.

— Je vais avec toi, chef, j'ai dit.

– Merci, soldat, mais non. Tu restes avec Rose. C'est un ordre.

J'ai secoué la tête.

– J'ai perdu ma première mère dans un ouragan. Je ne perds pas Miss Lana dans celui-ci. Je viens, Colonel.

Dale s'est redressé dans le canapé.

– C'est pas la peine de discuter quand elle est comme ça, il a dit. Mo et moi, on est associés. Je viens aussi.

Je ne dirais pas que c'était mon heure de gloire mais elle s'en approchait. Je me suis mise au garde-à-vous, plus ou moins, jusqu'à ce que le Colonel hoche la tête.

– Rose ? il a dit, les yeux interrogateurs.

Elle a hésité.

– Vous devez promettre…

– Sur ma vie, il a dit.

– Vous prenez ces gosses avec vous ? Vous êtes tous dingues, a grondé Mr Macon alors que Dale trottinait vers sa chambre chercher des cirés. Ce garçon est un lâche. Il sera que dans vos pattes.

Le Colonel a secoué la tête.

– Un lâche ? Dale est déjà deux fois l'homme que tu seras jamais.

– Attrape, Mo, a fait Dale en me lançant un imper.

Le Colonel a pris son paquetage et la tronçon-neuse, il a ouvert la porte et lutté contre le vent pour gagner la véranda. Alors qu'on regardait par la fenêtre, il a titubé jusqu'au bas de l'escalier, bousculé par le vent comme une petite brute dans une cour de récré. Il a entrouvert la portière avant de la Pinto, a lancé la tronçonneuse à l'intérieur et s'est plié dans la petite voiture comme un contorsionniste.

Miss Rose a vérifié la fermeture de nos impers jusqu'à ce que les phares de la Pinto clignotent.

— Je vais tenir la porte, elle a dit. Vous vous tenez fort l'un l'autre et allez du côté passager. Le Colonel vous aidera.

Elle a essayé d'embrasser Dale mais il a esquivé.

— Ah, Mama, il a dit en se dérobant.

— Ne me donne pas du « Ah, Mama », elle a dit.

Elle a ouvert la porte et l'a retenue alors qu'on fonçait, tête baissée, dans le mur de vent qui nous a entraînés à travers la véranda comme des patineurs.

— Tenez bon, a lancé Miss Rose.

Dale m'a attrapé le bras et on a forcé notre chemin jusqu'au bas de l'escalier, poussés, fauchés, malmenés par les courants d'air.

— Bien joué, a dit le Colonel alors que la portière claquait derrière nous.

Dale a plongé sur la banquette arrière et on s'est mis en route à une allure d'escargot.

Le Colonel, voûté sur le volant, a descendu l'allée jusqu'à la route. L'ouragan Amy tabassait notre petite Pinto de tous ses poings.

– C'est comme être embarqué à l'intérieur d'un tambour, j'ai crié en essuyant la buée du pare-brise.

– Aide-moi à repérer les arbres tombés sur la route, a hurlé le Colonel.

Dale et moi nous sommes penchés en avant. On avait de la chance si on voyait à trois mètres devant la voiture.

Deux fois on s'est arrêtés pour tronçonner des troncs qui nous barraient le passage.

– Ça va, chef ? j'ai demandé alors qu'on contournait un arbre.

Il a hoché la tête mais serré la mâchoire, et ses doigts ont blanchi tellement il serrait le volant.

Quand on a atteint un petit champ près du Pin de l'accident, il s'est arrêté.

– Re-vérification des ceintures, il a demandé, puis il est sorti prudemment des bois.

Le vent s'est emparé du nez de notre petite voiture et nous a fait tourner.

– Accrochez-vous, a crié le Colonel alors que les bourrasques nous poussaient de côté en un long dérapage le long de la route.

Notre pare-chocs a frôlé le Pin de l'accident et le Colonel a retenu son souffle. Lentement, on a dérapé vers le pont.

– Détachez les ceintures ! il a tonné. Préparez-vous à une sortie d'urgence !

J'ai trituré ma ceinture alors qu'il enfonçait l'accélérateur. Je n'entendais pas le moteur à travers le hurlement de la tempête mais j'ai senti nos roues patiner follement et mordre finalement le gravier mouillé. Un zigzag nous a propulsés au-delà du pont, nos phares projetant des traits dansants à travers les arbres alors qu'on rebondissait jusqu'au chemin menant chez Mr Jesse.

Le bois a coupé le vent et j'ai pu entendre Dale, à l'arrière, se chantonner à lui-même pour calmer ses nerfs. On a progressé lentement jusqu'à l'allée de Mr Jesse.

– Nous allons laisser la voiture ici, a dit le Colonel.

Il a retenu sa portière tandis qu'on luttait pour sortir derrière lui.

– Pas de lampes de poche, il a dit. Restez derrière moi. Pas de bruit. Faites attention.

On s'est penchés très bas, rampant par-dessus des arbres tombés et glissant dans l'herbe mouillée jusqu'à la véranda de Mr Jesse. Le Colonel est monté en roulade sur la véranda, silencieux comme la brume, et on l'a suivi.

– Slate est là, j'ai chuchoté en coulant un regard au-dessus du rebord de la fenêtre. Où est Miss Lana ?

– Restez ici, nous a ordonné le Colonel. Je vais la trouver.

Il a disparu dans la pluie.

Slate avait posé sa lampe de poche en équilibre sur le fauteuil inclinable de Mr Jesse, la calant avec deux coussins. Son pistolet était à côté de la lampe, canon court, l'air hargneux. Dale et moi regardions, respirant à peine, alors que Slate roulait le tapis de Mr Jesse et s'emparait d'un pied-de-biche.

Son crâne chauve luisait et la sueur coulait en travers de son profil. Il a coincé le pied-de-biche sous une latte du plancher et a appuyé du pied au bout du manche. La latte s'est descellée avec un grincement poussiéreux.

– Qu'est-ce qu'il cherche ? a demandé Dale.

– Un demi-million de dollars, j'ai chuchoté.

Alors que je regardais Slate au travail, mon cerveau s'emballait. Qu'est-ce que je savais de cette maison ? Vieille, en bois, construite à soixante centimètres du sol sur des piliers en brique – ou pas ?

– Est-ce que la maison de Mr Jesse est surélevée ? j'ai chuchoté.

– Ouais, a répondu Dale alors que Slate descellait une troisième latte. Pleins piliers de brique. Pourquoi ?

Slate descellait les lattes les unes après les autres. Quand il a obtenu un espace suffisant, il a pris sa lampe de poche et s'est penché dans le trou, fouillant des yeux l'obscurité au-dessous du bâtiment.

– Attaque, j'ai chuchoté.

– Mais le Colonel a dit…

– Ordre de terrain. Attaque !

On s'est glissés par la porte et à travers la pièce. Slate était agenouillé devant nous, grognant comme un cochon alors que son faisceau balayait sous le plancher. J'ai indiqué du doigt l'énorme table basse en chêne, et Dale s'est dirigé vers elle à pas de loup.

– *Go !* j'ai crié en plaçant un parfait coup de pied frontal au milieu du derrière de Slate.

Celui-ci a juré alors qu'il plongeait tête la première sous la maison.

– La table !

Nous l'avons traînée au-dessus du trou, avons sauté dessus et essayé de peser de tout notre poids.

– Et maintenant ? a haleté Dale alors que la table se soulevait.

– On attend le Colonel, j'ai crié. Tu entends ça, Slate ? Les renforts arrivent.

Slate frappait à coups de pied, rugissait et frappait à nouveau.

– Laissez-moi sortir ! il a ordonné, hors d'haleine.

Je l'entendais s'efforcer de se mettre sur le dos sous la maison. Le faisceau de sa lampe dardait autour des bords de la table alors qu'il explorait sa nouvelle prison. Sa voix était froide et rusée.

– Et si je vous donnais cent dollars à chacun pour me laisser partir ? Disons deux cents. Vous pourrez vous acheter tout ce que vous voulez. Hé ! Mo, tu pourrais engager un vrai détective pour retrouver ta mère. Qu'est-ce que t'en penses ?

Dale s'est penché vers moi.

– Comment il sait…

– L'adjointe Marla, je lui ai rappelé.

– Tu t'en fiches de tes vrais parents ? Pas de problème. Dale, qu'est-ce que tu vas faire avec ton argent ? J'y ajoute deux billets pour Daytona. T'aimerais ça, non ?

– Laisse tomber, Slate. Tu crois quoi, que je suis stupide ?

– Je crois que t'es le fils de ton père, il a dit, sa torche affolée balayant sa prison. Laissez-moi sortir d'ici ! il a rugi en poussant de toutes ses forces vers le haut.

La table s'est soulevée dans les airs, nous faisant valser par terre.

– Vous croyez que vous pouvez m'envoyer au trou ? il a crié en refermant sa poigne sur ma cheville et me traînant vers lui.

– Lâche-la, Slate, a crié le Colonel en me tirant hors de sa portée.

Il a enfoncé le pistolet vide de Mr Macon dans la figure de Slate.

– Dis-moi où est Lana. Maintenant.

– Comment je saurais ? il a grincé. J'sais pas où elle est et j'm'en fous pas mal.

Les lampes suspension se sont allumées d'une lumière vacillante.

– Waouh, a fait Dale, cillant comme une chouette. Même les morts ont la lumière rétablie avant nous.

J'ai regardé le pansement sanguinolent à la main de Slate et sa coupure à la tête.

– On dirait que vous avez eu un accident, j'ai dit.

– Ta foldingue de mère m'a frappé avec une lampe, a postillonné Slate. Elle m'a presque tué.

J'ai fait un large sourire.

– Je suppose que ça explique le sang à la maison Blalock. Dommage que vous n'ayez pas saigné à mort.

Dale a hoché la tête.

– Vous devriez demander au doc de la prison de vous faire quelques points à votre tête, Mr Slate. C'est un avantage de la taule : les soins gratuits.

– Slate, mets tes mains sur ta tête, a ordonné le Colonel. Mo ?

– Je l'ai, Colonel, j'ai dit en arrachant une rallonge du mur.

Il a attaché les mains de Slate et m'a tendu le pistolet vide.

– Garde-le pointé sur lui.

– Tu crois que c'est sûr, chef ? j'ai demandé. Je suis dans une phase maladroite ces temps-ci. J'espère que mon doigt ne dérapera pas, j'ai ajouté alors que le Colonel hissait Slate dans la pièce.

– Dale ? a dit le Colonel. Attache-lui les pieds, fiston.

– Oui, monsieur. J'ai appris des techniques de scout.

Dale me fait rigoler. Il est allé deux fois aux scouts jusqu'à ce que Mr Macon refuse de lui payer un uniforme et l'oblige à abandonner. Dale a des techniques de scout comme moi j'ai une Harley Davidson.

– Bon, a dit le Colonel en reprenant le pistolet. Je vais redemander. Où est Lana ?

– Elle s'est enfuie, a dit Slate en s'écartant du pistolet. J'sais pas où elle est.

– Moi, je sais, a dit une voix à la porte.

– Starr ! j'ai crié.

L'inspecteur se tenait dans l'embrasure, pistolet au poing.

Ami ou ennemi ?

Le Colonel s'est retourné et a pointé son pistolet vide vers Starr.

– Elle est ici même, a dit Starr en s'écartant d'un pas.

Miss Lana a couru vers moi, les bras grands ouverts.

– Dieu soit loué, a murmuré le Colonel alors que les bras de Miss Lana m'enveloppaient. Dieu soit loué.

28 – Rien vu venir

Nous avons attendu la fin de la tempête chez Mr Jesse.

Miss Lana et moi nous sommes installées sur le hideux sofa écossais du salon. Je ne pouvais pas être assise assez près d'elle, ni assez lui caresser la main ni assez entendre le son de sa voix. Elle nous a raconté comment Slate l'avait kidnappée, comment elle avait réussi à dénouer les liens du Colonel pour qu'il puisse s'évader.

– Quand tu n'es pas revenu me chercher, j'ai su que quelque chose n'allait pas, elle lui a dit. Et quand Slate a essayé de m'emmener ailleurs, j'ai compris que j'étais en très mauvaise posture. Alors j'ai attaqué.

– Vous m'avez presque tué, a gémi Slate.

– Peut-être la prochaine fois, a marmonné Dale avant de sourire à Miss Lana. Mo et moi nous avons capturé Slate, Miss Lana.

— Quels enfants adorables, elle a dit en lui ébouriffant les cheveux. On va te donner une décoration pour ça, j'imagine.

— Probablement, il a dit en rougissant.

Elle s'est tournée vers le Colonel.

— Une fois échappée, je suis allée chez Priscilla. Je supposais que Starr y serait. Lavender venait d'appeler…

— Lavender ?

Mon cœur a cabriolé dans ma cage thoracique comme un chaton surexcité.

— Oui, mon chou, a dit Miss Lana. Il t'a entendue dire à Rose que j'avais des ennuis avant que la ligne ne soit coupée. Il a finalement réussi à joindre Priscilla et Starr. Je suis arrivée à leur porte, échevelée et débraillée. Starr et moi sommes allés en voiture chez Rose dès qu'on a pu – pour apprendre que vous étiez allés chez Jesse par la route de derrière.

Pendant qu'on parlait, Joe Starr menottait Slate et inspectait le dessous de la maison.

— Tiens, tiens, qu'est-ce qu'on a là ?

Il a remonté une boîte en métal dans la pièce.

— Le butin du hold-up de Slate, j'ai dit. Et la source des donations nocturnes à l'église de Mr Jesse.

— Pourquoi dis-tu ça ? a demandé le Colonel d'un ton coupant.

Parce que les numéros de série des donations de Mr Jesse correspondent aux billets volés à la banque, j'ai dit en savourant la surprise sur le visage de Starr. C'est en tout cas les informations obtenues par les Détectives Desperados. Et je crois qu'elles seront confirmées.

— Effectivement, a dit Starr. Mais comment l'as-tu appris ?

— Désolée, j'ai dit. Nous protégeons toujours nos sources.

Le Colonel a froncé les sourcils.

— Mais que fait cet argent sous la maison de Jesse ?

— Mr Jesse l'a caché ici après que Slate et Dolph Andrews l'ont volé à la banque de Winston-Salem, j'ai expliqué en me lovant contre Miss Lana. Mr Jesse était impliqué dans le hold-up. Pas vrai, Slate ?

Starr observait Slate attentivement.

— En fait, je ne suis pas sûr que Jesse ait été dans le coup. Mais son cousin l'était.

— Le mort ? a demandé Dale.

— C'est ça. Le cousin de Jesse Tatum était gardien à la banque. Il a été abattu pendant le braquage et il est mort une semaine plus tard, Jesse Tatum à ses côtés. Slate a été jugé pour son meurtre, mais un avocat habile l'a fait acquitter.

Starr a essuyé la poussière de ses mains et jeté un coup d'œil au Colonel.

— Ça vous rappelle quelque chose ?

Le Colonel n'a pas cillé.

— Ça devrait ? il a demandé.

J'ai coupé avant que Starr puisse répondre.

— Alors le cousin de Mr Jesse était aussi impliqué dans votre braquage, j'ai dit en dévisageant Slate. Il a dit à Mr Jesse où trouver le butin.

— Et puis, quand Mr Jesse a refusé de partager, vous l'avez tué. C'est très méchant, a dit Dale en se dirigeant vers la cuisine.

— Et stupide, j'ai ajouté.

Le regard de Starr est passé du Colonel à Slate.

— Ou peut-être avez-vous tué Jesse juste pour qu'il ne vous dénonce pas, a suggéré Starr. Qu'est-ce que vous en dites, Slate ?

Slate a eu un sourire sardonique.

— Vous êtes tous dingues, il a dit. J'ai tué personne.

— Allez, autant nous le dire avant que votre petite amie ne le fasse.

Slate m'a décoché un regard noir.

— Quelle petite amie ?

— L'adjointe Marla, j'ai répondu. Celle qui va retourner les pièces du dossier contre vous pour sauver sa peau de vipère égoïste du couloir de la mort.

Slate a tressailli.

— Jamais entendu parler d'elle.

— Balivernes, a dit Miss Lana. Je vous ai vu avec elle chez Lucy Blalock.

— Et je l'ai entendue expliquer notre règle des trois jours avant qu'elle me fasse appeler à la maison, a dit le Colonel.

Il m'a jeté un coup d'œil.

– Je suis désolé de t'avoir appelée Moïse, soldat. J'essayais de te prévenir.

– J'ai raté le signal, chef. Mais Dale et moi, on n'a pas raté votre conversation avec Marla sous notre véranda juste avant la tempête. Vous mentez, Slate. Vous et l'adjointe Marla êtes de mèche sur ce coup.

Starr s'est gratté la tête.

– Vous et Marla Everette, il a dit en s'asseyant sur le banc de piano de Mr Jesse avec la même expression que Miss Lana quand elle travaille à un puzzle. Je dois avouer qu'elle m'a bien eu.

– Vous ne vous êtes pas demandé pourquoi Slate avait toujours un coup d'avance sur vous ? j'ai demandé. Qui a posé les barrages routiers qui ne marchaient pas ? Qui n'arrivait pas à localiser les appels de Slate ? Qui a fouillé la maison Blalock ? L'adjointe Marla. Pendant tout ce temps, elle était l'agent infiltrée de Slate.

Dale est revenu de la cuisine avec un paquet de croustillants au fromage. Il a incliné le paquet vers Miss Lana, qui a fait non de la tête. Seul Dale est capable de manger les apéritifs d'un mort.

– Priscilla m'a prévenu à propos de Marla, a marmonné Starr. Elle ne lui faisait pas confiance. Surtout en ce qui vous concerne, les enfants.

Il a mis Slate sur ses pieds et l'a traîné vers le vieux piano.

– Vous et Marla Everette, il a répété, la colère déformant sa voix en la tendant comme une corde de piano. Je dois vieillir ; je n'ai rien vu venir.

Pauvre Joe Starr.

– Vous vieillissez, c'est sûr, j'ai dit. Mais si ça peut vous rassurer, je n'ai que onze ans et je ne l'ai pas vu venir non plus. Et toi, Dale ?

Dale a secoué la tête, des miettes orange luisant sur sa figure.

– Colonel, j'aimerais vous dire un mot dans la cuisine, s'il vous plaît, a dit Starr en sortant une coupure de journal de sa poche.

J'ai senti Miss Lana se tendre à côté de moi.

Le Colonel nous a regardées, a redressé ses épaules et a suivi l'inspecteur, qui a refermé la porte derrière eux.

– Qu'est-ce qui se passe, Miss Lana ? j'ai demandé.

– Tout va bien se passer, Mo, elle a dit.

Elle a pris ma main mais son silence s'est étiré comme un vieil élastique prêt à claquer. Je ne l'avais jamais vue aussi pâle.

La porte de la cuisine s'est rouverte d'un coup.

– C'est une insulte, a crié le Colonel en déboulant dans le salon.

– Monsieur, a dit Starr, cette coupure confirme tout ce que je vous ai dit.

– Quoi qu'ait fait le Colonel, il est innocent, j'ai dit en me levant.

Le Colonel a pris la coupure de la main de Starr.

– C'est un ramassis d'inepties, il a dit. Moi…

Il a fixé l'article puis l'a laissé tomber comme s'il était taché de sang.

J'ai regardé la feuille.

Une photographie du Colonel, plus jeune et encore brun, remplissait la page. Il portait un costume coûteux, une queue-de-cheval et une barbe soigneusement taillée.

Le Colonel a reculé comme s'il avait vu le diable en personne.

– Que le Ciel me pardonne, il a sangloté en se laissant tomber sur le canapé de Mr Jesse et cachant son visage dans ses mains. Je suis un avocat.

29 – Chère Mère d'Amont

L e café a réouvert deux intenses semaines plus tard.

Au cours de cette quinzaine, Miss Lana, Dale et moi avons réparé les fenêtres enfoncées, balayé l'ouragan hors du salon et rafistolé le toit. Le vieil écriteau – INTERDIT AUX AVOCATS – a été décroché. Un nouvel écriteau – BIENVENUE LES AMIS – a pris sa place.

Miss Rose nous a sidérés deux fois au cours de ces deux semaines : d'abord en divorçant de Mr Macon ; puis en lançant sa propre entreprise – une visite historique vivante d'une plantation de tabac des années 1930.

– Elle a deux cars de touristes par jour inscrits pour le reste de l'été, m'a dit Dale avec un grand sourire. Elle ne voulait pas nous en parler jusqu'à ce qu'elle soit sûre que ça marche. Et jusqu'à ce que j'aie réparé toutes ces vieilleries dans la grange à tabac.

D'autres étaient aussi très occupés.

Slate et l'adjointe Marla répondaient des accusations d'enlèvement du Colonel et de Miss Lana et des meurtres de Mr Jesse et Dolph Andrews. Mr Macon s'est fait témoin d'État pour l'accusation. Le chat Spitz a disparu dans l'ouragan. À nouveau. Et Thes a engagé les Détectives Desperados. À nouveau.

– Je le trouverai cette fois encore, mais c'est la dernière, a dit Dale en rayant la mention *Animaux perdus retrouvés gratis* de notre panneau.

Lavender est rentré à la maison en héros – mais pas comme je m'y attendais.

Nous avons appris la nouvelle pour la course de Lavender le jour de l'ouragan. Les chaînes de télévision étaient toujours en panne mais une voix a crachoté dans la radio de Mr Jesse. « Et aujourd'hui à la Sycomore 200… »

– C'est la course de Lavender ! a crié Dale. Allez, ma belle, il a murmuré en tournant le bouton pour capter le signal.

La station a grésillé : « … suspense final… Et avec moi maintenant dans le cercle du gagnant, le pilote de la voiture 32… »

– C'est nous ! a glapi Dale. On a gagné ! Lavender a gagné !

« Voici le pilote Hank Richmond », a dit l'annonceur.

– *Hank Richmond ?* C'est qui ? j'ai fait en m'étranglant.

Hank s'est révélé être le pilote à qui Lavender avait vendu sa voiture juste avant la course.

– Je n'ai pas pu résister à trente mille dollars, a expliqué Lavender quand il est rentré.

Il a mis mille dollars sur des comptes pour Dale et moi et donné le reste à Miss Rose.

– J'aime construire des voitures, il a expliqué. Je serai prêt à en tester une nouvelle avant Noël.

Ce qu'il n'a pas dit, c'est qu'il a passé l'essentiel de la course au téléphone avec les forces de police à essayer d'entrer en contact avec Joe Starr pour venir en aide à Miss Lana.

Et le Colonel ? Grâce à Joe Starr, il a manqué tout ça. L'inspecteur l'a emmené à Winston-Salem pour débrouiller une montagne de détails juridiques, puis à l'hôpital pour le faire examiner de la tête aux pieds.

– Je n'adresserai plus jamais la parole à Joe Starr de toute ma vie, j'ai dit à Miss Lana le matin de notre Grande Réouverture.

Elle nous a tendu à Dale et moi des bérets bordeaux, a ajusté sa perruque et plaqué sa robe rose luisante sur ses hanches.

– Tout va bien, Mo. Le Colonel a besoin de temps pour reconstruire le fil de sa vie passée et s'adapter à ses souvenirs, elle a dit. Et *ne dis jamais jamais**, mon chou.

---

* En français dans le texte.

– Quoi ? a demandé Dale en regardant son béret comme si c'était un écureuil écrasé.

– Il ne faut jamais dire jamais, elle a traduit tout en ouvrant la porte. Prenez place, tous !

À sept heures du matin, le café était bondé.

– *Bonjour* et bienvenue à *la Café, Monsieur* le Maire, elle a dit en ajustant mon béret.

Dale avait déjà planqué le sien derrière le juke-box.

– *Bonjour*, Mo, a dit le maire Little.

Il a parcouru la salle des yeux : salières et poivriers en tour Eiffel, nappes remontées aux coins, airs d'accordéon musette.

– C'est bon d'être de retour à Paris, il a dit.

Il a lissé sa cravate rose bonbon sur son ventre, glissé à travers le carrelage vers sa place au comptoir et lancé un clin d'œil aux dames aux azalées.

– Bonjour, Anna Céleste, il a dit.

Attila et sa mère étaient assises à une fenêtre, en train de sucer des œufs mollets comme une paire de belettes bien habillées.

– J'espère que tu passes un bon été, il a ajouté.

– Oui, Monsieur le Maire, elle a dit avec un balancement de ses cheveux blondis par le soleil. Nous revenons de Myrtle Beach. C'est si agréable de s'échapper.

Je suis passée à côté d'elle, un verre d'eau glacée à la main. Tout à coup, je me sentais timide.

– Hé ! Anna. J'essaye ces bouteilles bleues, je lui ai dit. Merci pour elles et pour... tout.

J'ai souri à sa mère au visage pincé.

— Le petit déjeuner est offert par la maison, aujourd'hui, Mrs Simpson. Mangez autant que vous le voulez. Toutes les deux.

Attila a jeté un coup d'œil au verre d'eau.

— Je suppose que c'est de la part de Dale, elle a dit. Peux-tu lui dire, s'il te plaît... Je suis désolée mais je n'ai pas soif.

— Pas de problème, j'ai fait.

Surtout, j'ai pensé, *que ce n'était pas pour toi.*

Elle a hoché la tête et regardé ailleurs. Un silence houleux s'est étiré entre nous.

Sans nos disputes, on était un peu déroutées. Enfin, elle a dit :

— Dommage que tu ne puisses pas partir en vacances, Mo-rue. Tu as l'air si... je ne sais pas. D'une pâleur cadavérique.

— Pâle est temporaire, Attila, j'ai répliqué avec un grand sourire. Putride est pour toujours.

J'ai fait volte-face vers la table d'à côté.

— Hé ! Salamandre, j'ai dit. J'apprécie ce que tu as fait pour moi. Merci.

Elle a souri avec un brusque hochement de tête.

— Le p'tit déj est offert par la maison. Et ça, c'est de la part de Dale, j'ai ajouté avec un clin d'œil, en lui glissant l'eau glacée à travers la table.

De l'autre côté de la salle, Dale a enfoncé ses mains dans ses poches et souri.

Sal a renversé le verre, envoyant un flot d'eau vers le livre de droit de Skeeter.

Je venais de leur tendre une pile de serviettes en papier quand Lavender est entré.

— Bonjour, Lavender, j'ai dit alors qu'il s'asseyait avec Grand-mère Miss Lacy Thornton.

— Bonjour, Sherlock, il a dit en me décochant un sourire qui tue.

Sherlock ! Un petit nom !

— Hé ! Dale, a lancé Tinks. On peut avoir du café par ici ?

— Calme-toi, a marmonné Dale, y a pas le feu au lac.

J'ai viré en direction de Lavender, carnet de commandes en main.

— Aujourd'hui, nous avons deux plats du jour : le soufflé de petit déjeuner de Miss Lana et les muffins sauce *red-eye*[1]. Qu'est-ce que ce sera ?

— Muffins à la *red-eye*, il a dit en étendant ses longues jambes dans le passage avec un sourire. (Lavender sait porter un jean avec classe.) Quand est-ce que le Colonel revient ?

J'ai souri.

— À tout moment, maintenant.

---

1. Sauce typique du sud des États-Unis, à base de jus de bacon ou autre pièce de porc poêlé, mouillé de café. Elle accompagne aussi bien du jambon cuit que du pain de maïs ou du porridge. (N.d.T.)

– Alors, il est complètement déchoqué ? a demandé le maire Little.

J'ai hoché la tête.

– Je suis contente pour toi, Mo, a dit Grand-mère Miss Lacy Thornton. Je sais qu'il t'a manqué. Et je prendrai le soufflé de Lana, ma chérie, si ce n'est pas trop demander.

La porte s'est ouverte en grand.

Joe Starr a parcouru la salle de ses yeux couleur de pâle ciel d'hiver.

– Une table pour deux, s'il te plaît, Mo, il a dit.

D'un signe de main, je l'ai orienté avec Miss Retzyl vers une table à côté du juke-box, tandis que Miss Lana faisait son entrée depuis la cuisine.

– Bienvenue, les amis, elle a annoncé d'une voix chantante, en faisant tinter un couteau contre un verre d'eau jusqu'à ce que le brouhaha des convives s'atténue. Merci d'être venus. Il y a quelques rumeurs en circulation, que je souhaiterais aborder avant que le Colonel ne rentre à la maison.

Le bruissement du café s'est tu.

– Vous avez créé d'intéressantes histoires sur le Colonel et moi, elle a continué dans un sourire (mais elle ne souriait pas quand elle les avait entendues pour la première fois). Je n'ai pas le temps de rappeler chacune d'elles, alors je vais juste vous raconter notre véritable histoire, afin de rétablir les faits.

— N'hésite pas à utiliser ma caisse de Pepsi, Miss Lana, j'ai dit.

— Merci, mon chou, elle a fait en montant sur ma scène minuscule. Le Colonel et moi nous sommes rencontrés à Charleston il y a quinze ans. Le coup de foudre. Nous avions prévu de fuguer ensemble et d'aller passer notre lune de miel à Paris.

— Ouh-la-la, a fait M. le maire en calant ses coudes sur le comptoir.

— À l'époque, le Colonel était l'avocat de Slate, qui était accusé d'avoir tué un agent de sécurité pendant un hold-up. Ce garde, nous le savons à présent, était le cousin de Mr Jesse. Grâce au Colonel, Slate a été reconnu non coupable de meurtre au premier degré et condamné seulement pour homicide et vol à main armée. En quittant la salle d'audience, il a ordonné au Colonel de trouver son butin et de le garder, sinon il tuerait toute personne liée à l'affaire. Le Colonel ne l'a pas pris au sérieux. Comment aurait-il pu le faire ? Slate allait en prison ! Mais le lendemain, le Colonel a retrouvé sa secrétaire morte.

Une dame aux azalées a laissé tomber un verre. Dale s'est précipité avec un balai et une pelle.

— Le Colonel ne se l'est jamais pardonné, a continué Miss Lana. Il pensait que son arrogance avait coûté la vie à cette femme.

— Pas étonnant qu'il déteste les avocats, a marmonné Tinks.

– Le Colonel m'a appelée cet après-midi-là. « Fais tes valises, il a dit. Nous allons refaire notre vie à Paris. » Il a prévenu tous ceux auxquels il pouvait penser à propos de Slate et s'est mis en route pour venir me chercher – malgré le fait que l'ouragan avait déjà frappé la côte. Sur la route, je crois qu'il a pensé à Jesse Tatum et a fait un détour pour le prévenir aussi.

– Le Pin de l'accident, a murmuré Thes, et Miss Lana a hoché la tête.

– Quand je l'ai trouvé, une semaine plus tard, il avait un magnifique bébé dans les bras – et plus le moindre souvenir de moi.

Elle a retenu des larmes et s'est tenue là, seule, ses boucles permanentées encadrant son visage. Pendant un instant, elle a ressemblé à la photo d'elle-même petite fille, avant son éclosion.

– J'ai fait la seule chose que je pouvais faire, elle a continué : rester auprès de lui et espérer qu'il tombe à nouveau amoureux de moi.

Sal s'est tamponné les yeux et Thes a levé la main.

– Qui a tué la secrétaire du Colonel ? il a demandé. Slate était au trou.

– L'adjointe Marla ? j'ai avancé.

Du coin de l'œil, j'ai vu Dale regarder par la fenêtre et froncer les sourcils.

– C'est aussi ma théorie, a dit Starr. Slate est venu ici en cherchant Jesse Tatum. Quand Jesse a dit qu'il n'avait pas le butin, Slate l'a tué. Puis, quand il a reconnu le Colonel, il a espéré que *lui* aurait son argent. Et il a kidnappé Miss Lana pour faire pression sur lui jusqu'à ce qu'il le lui remette. Seulement, le Colonel ne se souvenait ni de Slate ni du hold-up.

Dale s'est hissé sur la pointe des pieds et penché contre le cadre de la fenêtre, observant dehors.

Les yeux de Miss Lana se sont embrumés.

— Et voilà notre histoire. Je vous ai trompés, mes amis, elle a dit. Mais j'ai agi par amour et j'espère que vous me pardonnerez.

Le café restait en suspens, le souffle coupé, comme un pendule au bout de son fil.

— Eh bien, grands dieux, a dit M. le maire Little. Ce n'est pas comme si vous étiez l'un ou l'autre menacé par un mandat d'arrêt, n'est-ce pas ?

— Ils ne le sont pas, a confirmé Starr.

Alors que le café explosait de cris de joie, Dale s'est tourné vers moi, a agité les bras au-dessus de sa tête et pointé le doigt vers l'extérieur. Je me suis frayé un chemin à travers la foule.

— Qu'est-ce qu'il y a ? j'ai demandé.

— Suis-moi.

Il a filé à travers la cuisine, vers la porte latérale.

— C'est cet abruti de chat de Thes, il a dit en enfonçant du bacon cuit dans sa poche. Il va vers la crique.

On a foncé à travers les parterres de fleurs de Miss Lana, jusqu'au bord de l'eau. Les marques de l'inondation causée par l'ouragan noircissaient les troncs jusqu'au-dessus de ma tête.

– Le voilà, a dit Dale alors qu'une tache orangée filait à travers les roseaux.

Il a démarré en trombe.

J'ai commencé à le suivre mais un éclat dans la crique a attiré mon regard. Une bouteille flottait au fil de l'eau, son bouchon scintillant au soleil.

– Dale, j'ai appelé alors que les roseaux se refermaient derrière lui.

Je fixais la bouteille.

Enfin, disait mon cœur. *Enfin.*

C'est un déchet, contredisait mon esprit. *Un déchet emporté par la tempête.*

J'ai pataugé dans l'eau noire de la crique et attrapé la bouteille. Derrière moi, le chat Spitz miaulait à tue-tête.

– Je l'ai ! a tonitrué Dale.

Le cœur en suspens, silencieux, j'ai tourné le bouchon de la bouteille et regardé à l'intérieur. Un morceau de papier était recourbé là, juste comme dans mes rêves Un message.

C'est ce que j'avais toujours désiré.

Ou pas ?

J'ai revu le Colonel me sortir de l'inondation, dérouler un sac de couchage sous les étoiles, assis à la table de Miss Rose, la tête dans les mains. J'ai revu Miss Lana crouler sous des brassées de sucreries d'ouragan, m'accompagner à la maternelle, écrire l'éloge de Mr Jesse. Je les ai revus rire avec moi et me gronder, et m'apprendre à me débrouiller au café.

Puis j'ai essayé d'imaginer quelqu'un de différent.

— Mo ? a appelé Dale.

Il se tenait sur la rive, portant Spitz comme un bébé dans ses bras.

— Oh ! il a fait quand son regard a découvert la bouteille.

J'ai fait sortir le message d'une secousse et l'ai déroulé, le cœur battant alors que les eaux noires léchaient mes genoux.

Ma main tremblait. Les mots se brouillaient sous mes yeux.

— Qu'est-ce qu'il dit ? a demandé Dale.

J'ai pris une grande inspiration.

« Chère Mère d'Amont », j'ai lu et ma voix a flotté au loin.

Dale a pataugé jusqu'à moi à travers la crique.

— Je suis désolé, Mo.

J'ai levé les yeux alors que l'Underbird roulait dans le parking et stoppait à l'ombre du sycomore. Le Colonel s'est déplié hors de la voiture. Il a fixé le café un instant puis s'est étiré, sa chemise blanche et ses cheveux en brosse embrassés par le soleil.

La porte du café s'est ouverte en claquant. Miss Lana a couru vers lui, les bras ouverts. Il l'a soulevée et l'a fait tournoyer tandis que les amis et voisins s'éparpillaient à travers le parking à rire et pleurer puis taper dans le dos du Colonel.

Alors que je les regardais ensemble, ma terre a trouvé son axe et mes étoiles leur ciel

J'ai froissé le mot.

— Merci, Dale, j'ai dit, et je l'ai regardé. Merci de dire que tu es désolé. Mais tu sais quoi ? Moi pas.

J'ai pataugé jusqu'à la rive et fusé à travers le jardin, Dale sur mes talons.

— Colonel ! j'ai crié. Bienvenue à la maison.

Lui et Miss Lana se sont avancés vers moi.

— Merci, soldat, il a lancé en ouvrant les bras. C'est bon d'être chez nous.

Remerciements

De nombreuses personnes m'ont aidée dans la création de ce livre et je suis reconnaissante à chacune d'elles.

Merci à Rodney L. Beasley pour son amour et ses patientes lecture et relecture.

Ainsi qu'à l'auteur Patsy Baker O'Leary pour ses encouragements et conseils, et aux membres de son atelier d'écriture.

Merci à ma famille et mes amis écrivains qui m'ont offert leurs réactions, leur amour et leur soutien, en particulier : Claire et Mamie ; Nancy et Brenda ; Allison, Karen et Eileen.

Enfin, *last but not least*, merci à mon agent, Melissa Jeglinski, de l'agence Knight, ainsi qu'à tous les professionnels de talent de l'éditeur Penguin/Dial, en particulier l'éditrice et directrice de collection Kathy Dawson, dont les remarques expertes ont considérablement amélioré ce livre.

TABLE

Composé par Nord Compo Multimédia
7, rue de Fives, 59650 Villeneuve-d'Ascq

Achevé d'imprimer en novembre 2013
par CPI Firmin Didot à Mesnil-sur-l'Estrée (120002)
Dépôt légal : janvier 2014

Imprimé en France